Afrofuturism:
The World of
Black Sci-Fi
and
Fantasy
Culture

アフロフューチャリズム

ブラック・カルチャーと未来の想像力

著
イターシャ・
L・ウォマック
Ytasha L. Womack

訳
押野素子
Motoko Oshino

解説
大和田俊之
Toshiyuki Ohwada

フィルムアート社

私がこの道に入るきっかけとなったアフロフューチャリスト、
ジョニー・コールモン博士に本書を捧げる。

愛に満ちた世界を思い描く、思想家と未来主義者（フューチャリスト）の皆さんにも、本書を捧げる。

Afrofuturism

Contents

凡例

・原注は巻末にまとめ、訳注は〔　〕、原著者による補足は［　］で示した。

・書籍・映画・アルバム名は『　』、雑誌・論文・イヴェント・展示名は「　」、楽曲名は〈　〉で示した。

・アルバム・楽曲名は原題で示し、未訳の書籍・論文・および日本未公開の映画・映像作品は、初出に原題を併記した。

謝辞

ローレンス・ヒル・ブックスの精鋭チームに謝意を表したい。シンシア・シェリー、ミシェル・スクーブ、ケイトリン・エック、メアリー・クラヴィーナスなど、本書の出版のためにたくさんの人びとが時間と情熱を注いでくれた。ジョン・ジェニングスの深い洞察と啓発的なアートに心から感謝を。ジョン・ジェニングス、レイナルド・アンダーソン、ショーン・ウォレス、スタンフォード・カーペンターは、アフロフューチャリズムという理性的なお喋りのゲームで、お手柔らかに遊んでくれた。アロンドラ・ネルソン、D・デネンゲ・アクペムをはじめ、多くのアフロフューチャリストは作品やアイディアを共有してくれた。マーリー夫妻（リンダとレナード）、ジョン・マーティン、パトリック・セインビー・ウッドトー、ケリー・ジェームズ・マーシャルの支援にもお礼を言いたい。心から尽力してくれたキュレーターのクリスティン・マレン・クリーマー、アーティストとして貢献してくれたクレイグ・スティーヴンソンとコーリー・スティーヴンソンにも感謝している。両親にもありがとう。母のイヴォンヌ・ウォマックは、自ら進んでアフロフューチャリズムの旅路に出ると、私に初めての宇宙服を与えてくれた。父のロイド・ウォマックは、図らずもコスプレの想像力を育んでくれた。そして、最初からこのプロジェクトを信じ、その存在を支持してくれたスーザン・ブラダニーニ・ベッツには、万謝を捧げたい。

イントロダクション

『不思議の国のアリス』で、チェシャ猫は「君は誰？」とアリスに尋ねる。子どもの頃の私は、現れては消える気の狂った恐ろしい子猫と、その子猫が繰り出す厄介な質問を悪夢のようだと思っていた。ディズニーの子ども向け絵本で、暗闇のなか光る子猫の目が出てくると、平均台で演技をするガブリエル・ダグラスに勝るスピードで、私はページをめくった。興味をそそられはしたが、怖かったのだ。『マトリックス』でモーフィアスがネオに赤い薬と青い薬の選択肢を与え、ウサギの穴の深さを知ることになると前置きした時、観客はこれから『オズの魔法使い』と同じような冒険が待っているのだと理解する。しかし、ドロシーは今やもう、カンザスにはいない。そう、アフロフューチャリストの世界観を持つ人びとは、そのコンセプトを使って、何万光年も離れた場所まで旅することができるのだ。そして彼らは、最初から必要なものはすべて持っていたことを知って帰還する。

読者の皆さん、私たちの未来は今ここにある。幸いなことに、宇宙を巡る言葉の旅、つまり本書には道しるべがある。ドゴン族のシリウス、伝説の金魚、天空の箱舟、マイルス・デイヴィスのトランペットのように鳴り響くＤＪのスクラッチ、アンク、ヨルバ族の神、エジプトの神、水塊、踊るロボット、アウトキャストの『ATLien』……「自由（フリーダム）」と名づけられた宇宙船に乗って旅をする私たちの想像力を支える、重要なモデルだ。大量の電気、ナノテクノロジー、植物だってある。「目を覚ませ！」と誰かが叫ぶかもしれない。希望のスローガンを唱える者たちもいるだろう。もしかしたら、ファンタジーのような過去や、過去のような未来のパラレルワールドに飛び込むかもしれない。それでも、日時計のような大きさのヘッドドレスや、サイケデリックなウィッグを見つけるまで、旅路は終わらない。髪の毛は徹底的に盛るか、潔く剃るか。これを潜在意識の力と呼んでもいいし、サイバーポップとなったソウル・カルチャーの席巻と呼んでも構わない。しかし、タイムトラヴェルを通じたこのダンスは、遠い未来や未踏の天の川、潜在意識や想像力の深淵に飛び込むことと同様に、魂を取り戻すためのものでもある。これはアフロフューチャリストたちが使命としているダンスだ。

サン・ラー、ジョージ・クリントン、オクテイヴィア・E・バトラーは、ギザで見るピラミッドの側面を構成しているようだ。宇宙船の操作はヴィデオゲームのコンソールと同じだが、あなたの人生はヴィデオゲームではない。あなたがいるのはサイバースペース。ここでは衛星地図は使えない。「いいね！」をクリックはできても、「チェックイン」はできない。ハイパーリンクも存在しない。道に迷ったら、パーティをして士気を上げよう。コミュニケーションの必要に迫られたら、SNSのプラットフォームがついた通信機器を発明すれば、あなたの声は届くはず。写真を撮ってほしい。

たくさんの写真を。そして優れたヒーローの例に漏れず、あなたにもサウンドトラックとなるデジタルな音楽がある。しかし何よりも重要なのは、旅を円滑にする素敵な読み物があることだ。それから、サングラスも忘れずに。とことんクールなサングラスを用意してほしい。

素敵に宇宙的であれ（ステイ・スペースタスティック）

イターシャ

進化するスペース・カデット

Evolution of a Space Cadet

小学四年生の頃、私はハロウィンでレイア姫に扮した。『スター・ウォーズ　エピソード4／新たなる希望』（一九七七）で、天賦の才を発揮して反乱軍の指導者となったレイア姫は、私のヒロインだった。今でもはっきりと覚えている。暴風雨のさなか、全身白ずくめで木剣を腰に差し、お菓子をくれる近所の人たちに、自分は宇宙の姫だと説明しようとしていたことを。忘れられない思い出だ。私は大きな編み込み（ブレイド）二本をねじり、頭の両側で綺麗にお団子にすると、度胸と頭脳を兼ね備えた銀河系のプリンセスになるなんて、すごくクールだと思っていた。当時の私は、スター・ウォーズ・ファンが熱狂していたフォースの神話や、エゴと光の根源的な戦いをまだ理解できておらず、子ども心にライトセーバーやイウォークに惹かれ、ルークとレイアはジェダイ騎士団の兄妹だから恋に落ちなくてよかった、と安堵するだけだった。想像のなかで、宇宙から来た少女になるのは楽しかったが、宇宙時代の銀河系を舞台としたスター・ウォーズという壮大な物語のなかで、自分のような褐色の肌をした登場人物を見たいという欲求は強かった。子どもの目を通しても、こうしたイメージは明らかに欠如していたのだ。セックス・シンボルとして名を馳せたビリー・ディー・ウィリアムズ演じるランド・カルジリアンが、賭けに負けてファルコン号を失っていなければ、ハン・ソロではなくカルジリアンが太陽系を航行する場面がもっと増えたかもしれないのに。ダース・ベイダーの顔が、イギリス人俳優デヴィッド・プラウズではなく、仮面の下の声を演じていたジェイムズ・アール・ジョーンズだったらよかったのに。ジェダイの道を先に学んだのがルークではなくレイア姫だったら、私だってハロウィンで弟の木剣ではなく、ライトセーバーを持つことができたのに。

こうした願いを過ぎし日の子どもの戯言として片付けるのはたやすい。しかし、架空の未来／過去のなかで（スター・ウォーズは、はるか彼方の銀河系で、遠い昔に起こった話である）有色人種の歴然たる不在から生じた願いが、ブラック・キッズの想像力のなかに種として蒔かれた。超高速で動く宇宙船に乗る黒人を見たい、と願う子どもたちは無数に存在した。アメリカや世界で多様性が増し、未来を描いた作品に登場する顔ぶれと著しく異なる様相を呈する社会のなかで、アフロフューチャリズムが生まれたのは自然な流れと言えるだろう。

レイア姫に扮してから数年後、私が『レイラ2212（Rayla 2212）』を制作するようになったのも、自然な流れである。これは、レイラ・イルマティックを主人公とした音楽、書籍、アニメ、ゲームといったメディアで展開するシリーズだ。レイラは反乱軍の戦略担当者で、約二〇〇年後の未来に暴走した地球の植民地「プラネット・ホーム」の三代目住民である。ニックネームはプリンセスで、「ミッシング」（行方不明になった宇宙飛行士の一団）発見の手ほどきをしてくれた謎の科学者、ムーラン・シャクール（ディズニーの『ムーラン』（一九九八）とラッパーのトゥパック・シャクールにインスパイアされた名前だ）の捜索を任されている。褐色の肌を持つ彼女は、惑星や時間をまたいで旅をする。その言動はタフだが恋愛体質。二〇世紀と二一世紀のポップ・カルチャーで定番だった曲の歌詞をシェイクスピアのように引用し、光り輝く上質な両刃の剣を振り回す。

3Dアニメーションを見た友人や同僚は、レイラが私に似ていると冗談を言った。でも、冗談ではない。あれは私がモデルなのだから。

ブラック・トゥ・ザ・フューチャー

アフロフューチャリズムという言葉が存在する前から、私はアフロフューチャリストだった。SFファン、漫画オタク、ファンタジー小説の読者、トレッキー〔スター・トレックの熱心なファンの名称〕、科学コンテストの優勝者のなかにもいるはずだ。ポップ・カルチャーの未来像のなかで、黒人が最小化されているのはなぜか？　科学の歴史にも黒人は登場せず、過去の発明家のリストにも入っていないのはなぜか？　その理由を思案し、現状を打破しようと行動を起こす人びとも、アフロフューチャリストの資格があると言えるだろう。

世界史で黒人が取り上げられない問題については、幸いなことに、歴史家や文化の擁護者が一丸となり、歴史として世界中の学生に教えられているプロパガンダを徐々に切り崩し、この明白な誤りを根絶しようとしてきた。しかし、想像力を天の川の向こうまで広げ、日常的な宇宙旅行に可愛い宇宙動物、言葉を喋る猿やタイムマシンを思い描くことが可能な架空の未来のなかにすら黒人が登場せず、人びとが一〇〇年後の未来に非ヨーロッパ系の人間がいることを思い描けないというならば、断固として異議を唱えなければならない。

五〇年代から九〇年代のSF映画に登場する黒人は、概して辛い運命を辿る。これは、昔からあるジョークだ。『ナイト・オブ・ザ・リビングデッド』(一九六八)で人びとを窮地から救った黒人男性は、むやみに発砲する(トリガー・ハッピー)警官に殺された。『猿の惑星』(一九六八)でチャールトン・ヘストンと一緒に惑星に上陸した黒人男性は、真っ先に捉えられ、博物館に収監されてしまった。『ターミネーター2』(一九九二)では、勇み足の黒人科学者が、危うく世界の終わりを引き起こすところだった。無口で謎めいた役柄や、不気味な魔術師として、黒人がこうした映画に登場することもあったが、ポップ・カルチャーが描く未来において、有色人種の描写は必須ではなかった。

しかしその後、『マトリックス』(一九九九)と『アバター』(二〇〇九)が興行的に大成功を収めた。どちらの映画も未来の再構築をテーマとしており、神秘主義を織り交ぜ、テクノロジーを極限まで追求し、自己表現と平和を提唱していた。『マトリックス』の登場人物は、多様性に富んでおり、従来の均質なSFとは正反対だった。『マトリックス』の制作者は、黒人が支配する未来の世界を想像していたのではないか、と映画評論家のロジャー・エバートが疑問を呈したほどである。デンゼル・ワシントンは、ヒューズ兄弟が文明壊滅後の世界を描いた『ザ・ウォーカー』(二〇一〇)で、人類の救世主を演じた。ウェズリー・スナイプスが主演した『ブレイド』三部作（一九九八、二〇〇二、二〇〇四）は、大勢の黒人男性がブレイドに扮するコスプレ・ブームを巻き起こした。また、同シリーズにインスパイアされ、黒人ヴァンパイア・ヒーローも続々と誕生した。

ウィル・スミス（夏の大作映画で主演を張るスターで、弁舌さわやかな好人物）は、新世紀の到来を告げるSFヒーローだった。俳優として、彼は地球と人類を三回救った（監視技術を出し抜いた『エネミー・オブ・アメリカ』（一九九八）は、この三回に含まれない）。スミスはワンパターンなSFヒーロー像に風穴を開けた存在だ。『アイ・アム・レジェンド』（二〇〇七）では、ゾンビに侵された世界から人類を救おうと、治療法を模索する献身的な科学者／地球最後の男を演じ、『インデペンデンス・デイ』（一九九六）では、エイリアンに見事なフックを決め、宇宙船を操縦し、迫り来るエイリアンの侵略を阻止する凄腕の戦闘機パイロットとなった。『メン・イン・ブラック』三部作（一九九七、二〇〇二、二〇一二）で扮したのは、サングラスをかけた政府職員。地球に足繁く通う大勢のエイリアン（人懐っこくも攻撃的だ）の存在を人間に気づかれないよう奮闘していた。『アフター・アース』（二〇一三）では、人類が数千年前に地球から避難して移り住んだ遠方の惑星で、実の息子ジェイデン・スミスが演じるキャラクターの父親を演じた。宇宙を旅していた二人は、変わり果てた地球で足止めを食らい、「地球を救う」という使命は、父から息子へと受け継がれていく。こうした文化的なウィル・スミスの功績はさておき、黒人のSFファンは、アートや批判理論を通じて、未来について独自の解釈を生み出し、より大きな文化を構築する役目を買って出た。こうして創造された作品は、どれも画期的なものだった。

アフロフューチャリズムとは何か

アフロフューチャリズムとは、想像力、テクノロジー、未来、解放の交差点だ。アート・キュレーターでアフロフューチャリストのイングリッド・ラフルアは、「私は一般的に、アフロフューチャリズムを黒人文化（ブラック・カルチャー）のレンズを通じて起こりうる未来を創造する方法、と定義しています」と語る。ラフラーは、ニューヨークのブルックリンで開催された「TEDx フォート・グリーン・サロン」〔TEDxとは、TEDのようなライヴトークやパフォーマンスを地域住民と共有するイヴェント。地域ごとに単独で企画される〕に登壇すると、「アフロフューチャリズムは、実験を促し、アイデンティティを再考し、解放運動を始める方法だと思っています」と語った。[1]

アフロフューチャリストは、文学、ヴィジュアル・アート、音楽、草の根運動などを通じて、現在と未来の文化とブラックネスの概念を再定義している。芸術的な規範と批判理論の枠組みを兼ねるアフロフューチャリズムは、SF、歴史小説、思弁小説（スペキュレイティヴ・フィクション）、ファンタジー、アフリカ中心主義（アフロセントリシティ）、マジックリアリズムといった要素を、非西洋的な思想と結びつける。場合によっては、過去を全面的に想像し直し、文化的批評に満ちた未来を思案することもある。

ウィリアム・ハヤシが自費出版した『ディスカヴァリー――ダークサイド・トリロジー第一巻(Discovery: Volume 1 of the Darkside Trilogy)』(二〇〇九)を例に挙げてみよう。この小説では、人種による格差に辟易し、ニール・アームストロングが着陸するよりもずっと前に、月に社会を作ったと噂されていたアメリカの黒人分離主義者が発見される物語を描くことで、初期の宇宙開発競争における国粋主義的なテーマを覆し、分離主義の理論、人種、政治を解説している。

ジョン・ジェニングスとステイシー・ロビンソンによる「ブラック・カービー(Black Kirby)」展(二〇一二)も、アフロフューチャリズムの一例だ。これは、マーベルやDCコミックスで名を馳せた伝説的人物、ジャック・カービーを讃えた巡回展示会である。「もしジャック・カービーが黒人だったら?」というコンセプトに基づき、カービーが描いたアイコニックなコミックブックの表紙を、ブラック・カルチャーのテーマを用いて描き直した作品が展示された。この展示会は、ユダヤ人であるカービーの遺産とブラック・カルチャーの類似点を示し、異質性と疎外感を掘り下げ、ポップ・カルチャーのヒーローに新たな一面を加えた。

アフロフューチャリズムは、神秘主義と社会論評を織り交ぜることもできる。豊富な受賞歴を誇る小説家、ンネディ・オコラフォーの『死を恐れる者(Who Fears Death)』(二〇一〇)は、核戦争で世界が破滅した後のアフリカで、シャーマンの薫陶を受ける女性、オニェソンウの奮闘を描いている。彼女の願いは、新たに芽生えた能力を使って、自分の民族を大量虐殺から救うことだ。

元ディディーダーティ・マネーのドーン・リチャードは、デジタル・アルバム『Goldenheart』（二〇一三）のミュージック・ヴィデオで、未来的なアフリカン・ファッションを披露した。DJジェイムズ・クエイクは、インディ映画／ヴィデオ・ゲーム『プロジェクト・フライ（Project Fly）』（二〇一五）を制作し、シカゴのサウスサイドに住む黒人の忍者たちを描いた。このように、ブラック・カルチャーをSFとファンタジーのなかに置くことで生まれる創造性は、人びとの心を躍らせる。

このカルチャーの盛り上がりは他に類を見ない。これまでの時代とは異なり、今日のアーティストはデジタル・メディア、SNS、デジタル・ヴィデオ、グラフィック・アート、ゲーム技術などのパワーを駆使し、自分のストーリーを語り、自分のストーリーを共有し、安価にオーディエンスとつながることができる——SFの神々からの贈り物とも言えるこれらのテクノロジーは、二一世紀の初頭には考えられなかったことである。高速インターネットの登場により、誰がストーリーを語るに値するかを吟味していた門番は消え去り、有色人種は初めて自分のストーリーを発信する大きな力を持てるようになった。駆け出しの映像作家が

ンネディ・オコラフォー『死を恐れる者』

五〇〇ドルのDVCAMでSFのウェブ・シリーズを撮影し、動画をユーチューブに投稿して、インスタグラムやツイッターで宣伝できるようになると、「黒人が自らのイメージをコントロールすること」についての白熱した議論は、大きく変化する。

テクノロジーはクリエイターに力を与えるが、SFとファンタジーに興味を持つこと自体が、黒人のアイデンティティにまつわる従来の考えを覆し、想像力を最上位に掲げる行為である。黒人のアイデンティティを語る際に、不愉快なステレオタイプや、人種に対するディストピア的な考え（黒人が絶滅危惧種であるという話や、「なぜ黒人女性にはパートナーがいないのか？」といった報道を覚えているだろうか？）、底知れない無力感、厳しい現実に対する不安などと折り合いをつける必要はない。宿命論は、黒人であることと同義ではないのだ。

ストーリーの展開やアーティストの傾向が、宿命論や南部の掟、都会の現実に染まっていない場合には、その作品の黒人性が疑問視されることもあった。『寓話（Parable）』シリーズ（一九九四、一九九九）の著者として知られるオクテイヴィア・E・バトラーは、後続のSFヒロインや作家が活躍する下地を作ったSF界の先駆者だが、カンファレンスに出れば、必ず誰かにこう尋ねられたという。「SFと黒人に何の関係があるというのですか？」

ブラック・ギークの台頭

大きな眼鏡、タイトなスーツ、裾の短いパンツがヒップスター・ファッションのお約束になっただけでなく、ブラック・ギーク〔黒人オタク〕現象によって、かつては「オタクっぽい」と言われていたすべてのことが、一般に受け入れられるようになった。科学、宇宙、コミックブック、テクノロジーの愛好者をはじめ、きわめて高度な分析を楽しむ人びとは、一般にギーク〔オタク〕と言えるだろう。しかし今日では、こうした趣味はクールで実用的とされ、必須と考えらえることもある。少なくとも、似た者同士がインターネット上で仲間を見つけられる大きな世界があり、遊び相手が近所（例えば量子物理学が好きなもう一人の子ども）に限定されることはない。一〇〜二〇年前は、お洒落やスポーツに精を出す子どもや、クラスの人気者のなかには、自分の趣味を隠す子どもたちも大勢いた。さもなければ孤立し、徹底的にからかわれるからだ。ドキュメンタリー作家のトニー・ウィリアムズが手がけた最新作『カーボナーディアス――ブラック・ナードの台頭（Carbonerdious: Rise of the Black Nerd）』（二〇一三）は、「オタクであること」が時代によっていかに変化したかを記録している。テクノロジー・マニアで音楽とコミックの愛好家を自称し、ギークであることを自認している彼は、全米を巡って多岐にわたるブラック・ギークにインタヴューを行った。ギークの持つスキルは、イリノイ大学が二〇一三年に開催したイヴェント「ブラック・ギーク・ウィーク」でも称賛された。一週間にわたるこのイヴェントでは、科学者、アニメーター、コミックブックのイラストレーター、SF小説家、テクノロジーの専門家によるパネル・ディスカッションが行われた。パネリストは、強い文化的アイデンティティと生来の好奇心を伸ばす家庭で育った者ばかりで、少々変わった趣味を持つことにも抵抗がなかった。私もパネリストとして参加したが、登壇した仲間の使命感に心打たれた。ギークであることを隠していたか否かはパネリストによるが、かつて恐れられていたこの言葉を、誰もが名誉の印であるかのように受け入れていた。彼らは粘り強く、知性とウィットを忘れることなくギークの道を歩みながら、自分のオタク趣味を周囲に理解してもらえないという地獄のような辛さを味わってきた。それに対する究極のご褒美である。今日では、こうしたギークはハイテク産業に従事し、コミックストアを経営し、アニメーターとして絵を描き、全米の研究室で勉強するなど、その数を増やしている。一人寂しく趣味に勤しんでいた時間、地獄のように気まずかった年月が、ようやく報われたのだ。

カンファレンス会場を出た直後、ブラック・ギークのイヴェントに出席していたと通りがかりの人びとと話していたところ、スーツに身を包んだ人や威風堂々とした人でさえも、実は自分もギークなのだと打ち明けてくれた。しかし、こうやってギークが心を通わせる場面は、過去にもあった。バラトゥンド・サーストンの『ブラックになる方法（How to Be Black）』（二〇一二）出版記念パーティで、この連帯感が表面化した時だ。そこでは風刺に満ちた実話がいくつか披露された後、人びとはギークだった過去を吐露しあった。人びとの逸話は、シカゴにあるラジオ局「Vocalo.org」で共有され、参加者は自分の内なるギークに馴染んでいく過程を語り合った。全米各地の人びとが、胸についた大きなG(ギーク)のマークを曝け出したのだ。彼らのストーリーは、告白やプライドといった要素を含みながら、名誉を挽回したいという強い欲求に満ち溢れていた。もしかすると内なるギークが、人びとを結びつけるメカニズムとなったのだろうか？　ブラック・ギークは昔からアメリカに存在しており、ブラック・アメリカにはギークと知識人の歴史があった。もちろん、ギークと知識人が常に同義であるとは限らない。だがブラック・ギークの祭典は、黒人のアイデンティティという、きわめて限定的な概念を見事に打ち砕いたのだ。SFというジャンルは、周囲に溶け込めない人には理想的な空間だと語るのは、ミア・コールマンだ。彼女は筋金入りのSFファンで、SFのコンヴェンションに参加するために全米を飛び回り、時にはカール・ブランドン・ソサエティ(SF界の多様性を促進するために結成された団体)に支援を求めることもあるという。「私はSFを愛しています。SFは人びとの命を救うこともできる。周囲から浮いていると感じているあなたを受け入れてくれる大きな場所があります。自分は変人で孤立しているなんて感じずに、SFでみんながひとつになれるのです」

コスプレの流儀

コスプレについても同じことが言える。コスプレ（自分の好きなコミックブック、ゲーム、漫画、アニメのキャラクターに扮装すること）は、高い人気を誇っている。きわめてオタク的で、本当に楽しいものだ。コスプレ・コミュニティのなかには黒人の参加者も多く、コミコンや全米のコスプレ・パーティで、各々がお気に入りのヒーローやヒロインに扮している。ストームにブレイド、バットマンにスーパーガール、グリーン・ランタンにブラックパンサー。黒人のコスプレ・ファンは、こうしたキャラクターの特徴やコスチューム、メイクアップを真似ている。私が最後に参加したコミコンでは、ジャンゴ（映画『ジャンゴ　繋がれざる者』（二〇一二）に登場する元奴隷のガンマン）のコスプレをした男性を目にした。友人は、火星人の父娘を見たという。

ハロウィンや映画の公開に限定されることなく、想像力を駆使したこの自由な遊びは、アイデンティティからの脱却を意味する。ジョージ・クリントンやグレイス・ジョーンズなど、現在アフロフューチャリストと呼ばれているエキセントリックな著名人が行ってきた扮装と同じだ。すべてが遊びだが、柔軟性のないアイデンティティの枠を壊し、お気に入りのヒーローのペルソナを取り入れる行為にはパワーがある。

「コスプレは、子どもから大人まで、万人に力を与えるものです」と、スタンフォード・カーペンターは語る。コミックス・スタディーズ学会の会長／共同設立者のカーペンターは、当初はコスプレに否定的だったという。しかし、何度もコミコンに参加するうちに、コスプレが人びとを永久に変えるのを目の当たりにした。「これはエンパワーメント。自分が何になれるか、自分に何ができるかという可能性の話なのです。マイノリティに属する人びとにとっては、エンパワーメントを夢見るだけの話ではありません。スーパーマンになるだけでなく、自身に与えられた狭い役割を踏みつける、という要素もあるのです。そもそも、このスーパーヒーローという概念には、私たちが押しつけられているステレオタイプの多くに立ち向かうという、付加的な側面もあります。自分がなれるものの限界を押し広げるチャンスなのです。そうすることで、コスプレの経験を超えたまったく新しい世界や、自分の可能性を想像しているのです」とカーペンターは語る。「山の頂上に立つと、すべてが小さく見えるようなものです。山頂にずっといるわけではないけれど、麓に下りてからも、これまでとはものの見方が変わるでしょう。新しい視点を得たからです。知らないことを選択肢に入れることはできません。想像力は、人間が持つ最大の財産です。コスプレは、その想像力を土台にしています。コスプレは、想像力と欲求を行動に変換し、物事を違った角度から見られるよう、人びとを促してくれるのです」

ブラック・ギークのカンファレンス。ギークの告白。宇宙戦士のプリンセス。グリーン・ランタンやブレイドに扮装して盛り上がる黒人ファン。それが進化（プログレス）とどう関係があるって？　一見わかりづらいが、あらゆる点で深い関係がある。

アフロフューチャリズムは心の鎖を外す。批判的思考を促すという目的を持つ。だからこそ、ジョージア州メイコンのタブマン・アフリカン・アメリカン博物館や、オークランドのサージェント・ジョンソン・ギャラリー、ブルックリンのミュージアム・オブ・コンテンポラリー・ダイアスポラン・アートといった博物館がアフロフューチャリズムの展示を支援し、子どもたちをはじめ、従来とは異なる芸術コミュニティを取り込もうとしていたのだ。

「アフロフューチャリズムは、黒人の青少年にもうひとつの出口を与えてくれます」と、サージェント・ジョンソン・ギャラリーでヴィジュアル・アートのコーディネーターを務めるメローラ・グリーンは語る。「若者たちは、常識の範疇を超える人びとを見なければいけないのです」

以前、私のシナリオ制作講座を受講していた二〇代のアフリカン・アメリカン女性がいた。彼女はひどく苛立っていた。というのも、彼女は黒人のキャラクターで歴史小説を書きたいのに、過去の人種差別という現実に邪魔されてしまうと感じていたのだ。カウボーイのヒーロー、ヴィクトリア朝のロマンス、南北戦争前の南部の物語。どんな話であれ、奴隷制や植民地政策という暗雲がたれこめ、主人公の運命を決めてしまう。少なくとも、一九六〇年頃から過去五〇〇年を舞台とした物語で、彼女は幸せな結末へといたるプロットをひとつも考え出すことができなかった。それなら、

SF小説はどうだろう。しかしそれでも未来の世界を創造したり、完全な空想で物語を綴ったりするとなると、彼女は黒人文化をどうストーリーに組み込めばいいかわからなかった。人種という要因が、彼女の想像力をきつく縛りつけていたのだ。

歴史的な前提に対抗するひとつの動きとして、黒人のサブカルチャーを多く包含するスチームパンク・ムーヴメントがある。スチームパンクのなかでもブラック・サブカルチャーから生まれた本やイラストは、スチームファンクと呼ばれているが、これは西部開拓時代やヴィクトリア朝時代の蒸気駆動の技術を背景に、歴史を改変した物語を展開するSFのサブジャンルだ。スチームパンクは物語と同じくらいファッションも賑わっており、スチームパンク・ファッショニスタは実世界に多数存在する。一九世紀に固執する彼らは、コルセットやペチコートを愛用し、トップハットや懐中時計を現代風にアレンジしている。

アフロフューチャリズムの本質は、現代の慣習や期待の地平線をはるかに超えたところまで想像力を拡張し、正常の枠やブラックネスの先入観を太陽系の外まで放り出すところにある。SFのストーリーラインであれ、過激なまでの奇抜さであれ、アフロフューチャリズムは現実をひっくり返す。

アフロフューチャリストは、自分のストーリーを紡ぐのだ。

「アフロフューチャリズムは、ポスト・ブラックネス〔自身のアイデンティティを多義的に捉え、従来の人種区分から自由になりながらも、同時に異なる角度から黒人の歴史や文化への接続を試み、新しい黒人らしさを求める美学〕

と同様に、これまでのブラックネスの分析を揺るがします」と語るのは、ハリス・ストウ州立大学の人文学部准教授で、アフロフューチャリストに基づく批判理論を発表しているレイナルド・アンダーソンだ。「アフロフューチャリズムで私がいいと思うのは、未来に自分たちの空間を作ることができる点です。自分たちの想像力をコントロールさせてくれるのです。アフロフューチャリストは歴史を知らないわけではありませんが、歴史が足かせとなって、自らの創造力を発揮できなくなったりはしません」

新時代の幕開け

アフロフューチャリズムという言葉を創り出したのは、一九九四年の論考「ブラック・トゥ・ザ・フューチャー（Black to the Future）」で同語を使った文化批評家のマーク・デリーだ。一九八〇年から九〇年代にかけて、ＳＦを愛する黒人の大学生やアーティストは、科学やテクノロジーのレンズを使い、芸術や社会変革にまつわる議論を見つめ直していた。熱量の高い彼らによる数々の分析を説明するために使われたのが、アフロフューチャリズムという言葉である。

デリーはサイバーカルチャーの本格的な研究に乗り出し、ブラック・アメリカにおけるテクノカルチャーのトレンドに名前をつけた。音楽／文化ライターのグレッグ・テイト、マーク・シンカー、コドウォ・エシュンは、初期アフロフューチャリズムを理論化し、デリーと同等の議論を繰り広げていた。この理念のルーツ自体は数十年前に存在していたが、哲学的研究としてのアフロフューチャリズムが出現したことにより、アヴァンギャルドなジャズで伝説的存在となったサン・ラーや、ファンクのパイオニアとして知られるジョージ・クリントン、SF作家のオクテイヴィア・E・バトラーなどが再評価され、社会変革の担い手としてアフロフューチャリストから再認識されるようになった。

黒人の体験のなかで、科学とテクノロジーの役割が掘り起こされ、新たな視点から考察されるようになったのだ。ブラック・ミュージックの革新的アーティストは、進歩的なテクノロジーを使用・創造したことについて研究されるようになった。自動ピアノやレコードプレーヤーにイノヴェーションを起こしたジョセフ・ハンター・ディッキンソンのような発明家は、ブラック・ミュージックの制作におけるヒーローとされた。ジミ・ヘンドリックスはギターの音に残響を使用したが、これも黒人の音楽的・科学的な遺産（レガシー）として再評価された。テクノロジーの進歩が黒人に与えた歴史的・社会的な影響に加えて、テクノロジーの進歩がいかに人種格差の肯定や克服に利用されてきたかを研究する者たちもいた。

また、宇宙人による誘拐というSFのテーマと、大西洋奴隷貿易に共通点が多いことに心を痛めつつ、興味をそそられる者たちも多かった。宇宙人の物語は、アメリカ大陸における黒人の経験のメタファーなのだろうか?

アフロフューチャリストは、アフリカに祖先を持つ人びとの失われた歴史や、科学、テクノロジー、SFに彼らが果たした役割を見つけ出そうとしていた。また、サイバーカルチャー、現代科学、テクノロジー、SFポップ・カルチャーといった議論のなかで、有色人種を再結集させようとしていた。インターネット黎明期の当時、彼らは進歩的なテクノロジーへの平等なアクセスを促したいと思っていた。インターネットが広く普及すれば、人種に基づいた力の不均衡が軽減されるだろうと考えていたのだ。そして、肌の色に基づく制限も永遠になくなるかもしれないという希望を抱いていた。

サイバー・ムーヴメントの誕生

一九九〇年代後半、ニューヨークで大学院に通っていたアロンドラ・ネルソンは、ポータルサイトAOLを使ってメーリングリストを始めた。これはインターネットの初期に生まれたディスカッション・グループで、SFを中心に、テクノロジー、宇宙、自由、文化、アートに関するアイディアを探求したい学生やアーティストを対象としていた。ネルソンはSFファンで、SFで人気のテーマと、アメリカ大陸に住むアフリカ系の人びとの歴史・文化のなかにあるテーマが似ていることに気づいていた。彼女がとくに共感したテーマは、文化の収奪と、歴史の教科書にも載っていない無名の黒人科学者だったという。

「最初のモデレーターはDJスプーキーでした」とネルソンは語る。彼は映画『國民の創生』(一九一五)をライヴでリミックスしたことで知られるDJだ。数々の受賞歴を誇るSF作家のナロ・ホプキンソンや、アフリカン・アメリカ・スタディーズの研究者アレクサンダー・ワヘリイェなども参加し、ネルソンによれば、「豊かな意見共有の場となった」そうだ。このメーリングリストは、その後ヤフーのグループ、さらにはグーグルのグループという変遷を経て、最終的にはウェブサイトとなった。二〇〇〇年を迎える頃になると、ネルソンはそれとは別の「Colorlines」というウェブサイトでアフロフューチャリズムについて執筆していた。「あのコミュニティと、私たちがやろうとしていたことについて書きました」と彼女は語っている。

このような雰囲気のなか、アフリカ系の面々で芸術、人権、文化的な特徴について論じることは、新しく刺激的なことだった。ここには、それまでの文化的枠組みからは若干外れた、既存の芸術運動(アート・ムーヴメント)には収まらない文章や創造物の数々が存在した。そしてこの宇宙の色を帯びたプリズムが、こうした議論の枠組みとなっていた。

長い間埋もれていた作品が発見され、そしてこの新たな枠組みで議論されるにつれ、アフリカ系の人びとによって作られたＳＦ作品や未来的な作品には、植民地時代以前のアフリカまで遡る伝統があることが明らかになった。近年になると、豊かな想像力と独創性を発揮することに加えて、ブラック・カルチャーに未来を投影することも、強い権力構造への抵抗の系譜に加わった。こうしたテーマをめぐる会話に触発され、新しい作品が生まれ、古い作品が発見され、このムーヴメントを記録しようという機運が高まった。黒人のＳＦギークやコミック・ファンは、その趣味で周囲から孤立し、メインストリームのＳＦクリエイターからも相手にされていないと感じていたが、突如として彼らの世界にヴァーチャルな家ができた。彼らの作品や娯楽に、学術的な正当性を与える美的理念が生まれたのだ。

アフロフューチャリズムという発想に加えて画期的だったのは、インターネットという成長著しい空間を使ったことだ。「あれよりもさらに一〇年前だったら、会話をすることははるかに難しかったはずです」とアレクサンダー・ワヘリイェは語る。彼はノースウェスタン大学の教授で、アフロフューチャリズムと人種融合後の観点を教えている。

アフロフューチャリズムの第一人者となった教授やアーティストの多くは、あのメーリングリストに参加していた。「メーリングリストに参加することで、アイディアを共有する場を持つことができた」とワヘリイェは語る。ネルソンは、メーリングリストを通して芸術面での分析を超えたアフロフューチャリズムの議論を進め、未来に向けた変化をもたらす域にまで押し広げたのだ。

アフロフューチャリズムという名称自体は、主に学術や芸術の世界で使われており、こうした議論をしていた者たちが使っていた。今日でも、アフロフューチャリスティックな作品を創り出している人びとですら、この言葉にはあまり馴染みがない。それでも、有色人種を入れたSF作品をもっと作りたいという思いや、未来の黒人像を探求したいという考えは、猛烈な勢いで広がっている。

そして、インターネットは、アフロフューチャリストが集う主要な場であり続けている。二〇〇八年、ジャーヴィス・シェフィールドは、SFアーティスト、作家、映像作家、アニメーターのために「blacksciencefictionsociety.com」というウェブサイトを立ち上げた。バラク・オバマ大統領当選の勢いに乗り、コミックブック・ファンで父親でもあるシェフィールドは、息子のために多様なイメージを使ってサイトを作りたいと考えていた。一〇人のユーザーで始まった同サイトだが、二〇一二年には二〇一六人にまで増えていた。「私はこのサイトに夢中なんです。毎週、誰かが何か新しいものを投稿してくれるから」とシェフィールドは語る。

彼はこのウェブサイトで紹介された作家の作品を集め、『ジェネシス――ブラックSFアンソロジー（Genesis: An Anthology of Black Science Fiction）』（全二巻）として出版した。現在、このサイトはSFクリエイターの主要なポータルとなっている。

『ジェネシス――ブラックSFアンソロジー』

歴史的黒人大学（HBCU）に着陸したマザーシップ

私がアフロフューチャリズム（だと後に知ったもの）に出会ったのは、大学時代だった。当時の私はネルソンのことも、デリーのことも知らなかった。しかし、授業の前後に集まって話しているクラーク・アトランタ、モアハウス、スペルマン、モリス・ブラウン〔いずれもアメリカの歴史的黒人大学〕に通う大学生のことは知っていた。彼らは黒人の歴史とSFを結びつけることに全力を注ぎ、アフロフューチャリズムのアートや批判理論が増えていけば、社会に変革がもたらされるという固い信念を持っていた。

こうした大学生たちは、二一世紀の到来まであと数年という時代に、さまざまな知識を吸収していた。アンダーグラウンド・ヒップホップの新譜に込められたメタファーから、創世記の信憑性にいたるまで、ありとあらゆることを議論していた。ただし、堅苦しいものではない。おそらく、ふたつの知性が交わるというだけで、それ以上のものではなかった。しかし、都会の哲学者たちは質問を投げ合い、量子物理学、アフリカ哲学、映画の美学、経済理論、音楽理論とさまざまな議題を論じ合った。議論のなかでは常に黒人が中心に据えられ、黒人の窮状は議論のあらゆる面に浸透し、未来と過去のなかにもDNA鎖のごとく複雑に織り込まれていた。

フィラデルフィア生まれで歴史と物理を専攻するカマフィーという学生は、アフロフューチャリズムをテーマとしたアンダーグラウンドの新聞を創刊し、学生たちのエッセイや芸術作品を掲載した。辛辣で聡明かつ誇り高い彼は、戦士がまとうマントのように、ヒップホップの美学を身につけていた。また、「デュ・ボイシアン〔W・E・B・デュボイスの信奉者〕」を自称し、地に足のついた知識を武器に、人びとの象牙の塔をぶち壊すことに喜びを感じていた。さまざまな議論を魔術のように繰り出す彼に面食らう人も多かったが、私自身は彼に動じなかったと思いたい。とはいえ、少なくとも一度は目の眩むような議論を投げかけられた。パーラメント／ファンカデリック〔Pファンク〕の分析である。

当時の私は、〈One Nation Under a Groove〉や〈Freak of the Week〉〔ともに一九七八〕を聴いても、ベースラインが魅惑的だと思っただけで、曲の奥深さを知らなかった。カマフィーは、パーラメント／ファンカデリックの宇宙論を説明し始めた——ファンクがスター・ウォーズ的なフォースの役割を兼ね、悪党と光を求める者たちが対立する波乱万丈な宇宙物語が、一連のアルバムのなかで語られていたのだ。彼は作品のなかにあるダブル・ミーニングや、複数の層を持つ歌詞について語った。すべてでっち上げだと反論しようとしたちょうどその時、彼の発見の重要性に気づいた。

パーラメント／ファンカデリックの音楽に込められた美学が、ヒップホップやネオソウルの歌詞

アウトキャスト『ATLiens』

にも現れていたからだ。グランブリング州立大学（ここも黒人大学だ）で物理学を副専攻していた歌姫エリカ・バドゥは、Pファンクのマザーシップや量子物理学についてさりげなく言及していた。また、アトランタに住むようになった私を魅了していたのは、アウトキャストの一九九六年リリースのセカンド・アルバム『ATLiens』（言い得て妙なタイトルである）だった（彼らの出身地アトランタ（Atlanta）とエイリアン（Alien）を合わせた造語）。『スター・ウォーズ』について議論したがる学生や、九〇年代のヒップホップにおけるPファンク発掘といった流れのなかで、新しい美学が生まれつつあることは明らかだった。アーティストとSFファンの新興カルチャーは、芸術とメディアのプラットフォームを使い、未来的な作品のなかにある人間の摂理や、アフリカを祖先に持つ人びとの経験を探求していたのだ。

私自身もその後、黒人と未来を追求する作品を制作しているアーティストに出会うことが増え、興味をそそられていた。ヴィジュアル・アーティスト、グラフィック・アーティスト、ミュージシャン、詩人、DJ、ダンサー、作家、映像作家——それぞれがSFや歴史小説といったテーマを色濃く打ち出した作品の制作に励んでいた。東洋やアフリカの哲学を取り入れながら、誰もが黒人のキャラクターや黒人の美学を使って過去のイメージを解体し、未来を再構築していた。

私はシカゴ現代美術館に行き、DJスプーキーによる『國民の創生』のリミックスを鑑賞した。

ライヴＤＪのスクラッチやブレイクビートが、リズミカルに再編集されたブラックフェイスの登場人物を際立たせていた。それから私はさまざまなアーティストに出会った。例えば、ジャズ・フルート奏者で作曲家のニコール・ミッチェルは、オクテイヴィア・Ｅ・バトラーに敬意を表して楽曲を作り、ヴィデオ・ディレクターのクリス・アダムスとジョナサン・ウッズは、ＳＦのイメージやテーマを作品に織り込んでいた。思慮深さと切迫感を持ってデジタルの未来を創造しようと努力するアーティストとの出会いが増えていった。奇しくもこの頃は、映画、コミックブック、音楽、小説というジャンルで、こうした創造物を探求するカルチャーがアフリカン・アメリカンのなかで広がっていた時期でもある。

こうした逸話は私の頭のなかで増えていき、独自研究を進める際に、思考の糧となった。この研究が、分類できないことは明らかだった――これは、フィクションとファンタジーを組み合わせた、善良でポップな心理学。長い議論に重みを持たせるために、歴史的な要素も挿入されていた。しかしある日、私はシカゴにあるＧ・Ｒ・ナームディ・ギャラリーのアートショウに足を運んだ。気候もようやく暖かくなり、ギャラリーは春の訪れを喜ぶコレクターやアーティストで賑わっていた。ここで私は一人の女性に会い、彼女が何気なく口にした言葉に好奇心を掻き立てられる。アーティストでもあるＤ・デネンゲ・アクペム教授（彼女には以前、一度会ったことがあった）は、シカゴのコロンビア・カレッジで新しいクラスを教えていると話した。「アフロフューチャリズムを教えているの」

すぐに私の頭は大学時代にワープし、クラスメイトが文化的な現象を議論し、執拗に分析していたことを思い出した。アフロフューチャリズムという言葉は初耳だったが、私には彼女が何の話をしているのか、はっきりとわかった。「今、学校でそれを教えているんですか?」と私が尋ねると、「ええ、そうよ」と彼女は答えた。

ショックが薄らぐと、私は思った。そりゃ、教えるべきでしょう。

ヒップホップを専門とする教授が一〇年前から現れたように、黒人の経験に特化して人種と文化のダイナミクスを分析するSFやファンタジー作品の研究を行う教授が急増している。彼らは戦争、アパルトヘイト、ジェノサイドといった人類の問題を評価するためにアフロフューチャリズムというプラットフォームを利用しながら、階級問題、スピリチュアリティ、哲学、歴史についても研究している。また、テクノロジーの利用や、社会におけるテクノロジーの有用性、芸術を創造する際のプロセスとしてテクノロジーが担う役割を見直す者たちもいる。さらに、精神的な壁や社会的な制約から人びとを解放するための手段として、こうした分析に注目する者たちもいる。しかし、アーティスト、学者、ファンのすべてに共通していることがある。人種に基づく権力の不均衡がない、調和の取れた未来を分かち合うべく、有色人種の再構想を最優先としている、という点だ。少なくとも、彼らは有色人種が完全関与する未来を創造している――ポップ・カルチャーは概してこれができていないため、それに反論する姿勢を示しているのだ。

本書の出版が、アメリカ初の黒人大統領の再選後というのはタイミングがよい。これはかつてのフューチャリストたちが、大切に温めていた夢だった。黒人大統領の誕生は、少し前まではSFの領域の話だった。しかし、その未来は今なのだ。火星から初めて流れた人間の声は、NASAのチャールズ・F・ボールデン長官のものだった。ヒューストン生まれの退役海軍兵士で、元宇宙飛行士のボールデンは、アフリカ系アメリカ人でもある。大統領は、二〇二五年までに小惑星への有人飛行をNASAに命じ、民間組織のマーズワンは、二〇二三年までに火星植民地を立ち上げようと、地球人の応募を受付中だ〔残念ながらマーズワンは二〇一九年に破産した〕。私たちは現在、商業宇宙時代の幕開けを迎えている。想像力、テクノロジー、カルチャー、イノヴェーションという要素が軸となる。この四要素の相乗効果が、ライフスタイル、世界観、信念を再定義する高精度のプリズムを作り出す。アフロフューチャリズムは、さまざまな物語（ナラティヴ）を融合することが多いが、根本的には創造性と想像力のパワーを尊重している。文化に再び活気を与え、社会的な制約を超越するためである。人間の想像力こそが、強靱な精神を支えているのだ。

想像力は、抵抗のツールである。未来の有色人種の物語を作ることで、常識が覆される。テクノロジーの力と新たな自由を手にし、黒人アーティストはこれまで以上に自身のイメージをコントロールできるようになる。

ようこそ、未来へ。

02

「ブラック」という名の人間のおとぎ話

A Human Fairy Tale Named Black

私が大学時代の話だ。アフリカ系アメリカ人の歴史教師が、私たちの人生を永遠に変える質問をした。「人種差別と奴隷制では、どちらが先にあったのでしょう?」私のクラスメイト(全員が黒人史の専門家気取りだった)は、「人種差別」だと断言した。大西洋奴隷貿易を主導し、それを支援する法律を作った人びとは、「肌の色が黒い人びとは劣等だ」という信念を生まれながらに備えており、黒人を奴隷にした。私たちは、そう考えていた。しかし、これは間違いだった。奴隷制が先にあり、人種差別は奴隷制を正当化するために作られた、と彼女は言った。それでは辻褄が合わない、と私たちは反論した。人種は常に存在していたと思っていたからだ。しかし、人種も作られたものだということに、私たちはすぐに気づいた。黒人であることを誇りに思っていたというのに。

私が『ポスト・ブラック——新世代が定義し直すアフリカン・アメリカンのアイデンティティ(Post Black: How a New Generation Is Redefining African American Identity)』(二〇一〇)を執筆してまもなく、「人種とは、既定の区分として受け入れるようになった政治的な創造物である」ことが明らかになった。そこで私は、著書について語る際には必ずこれに触れるようになった。二〇一一年七月、アーティスト/映像作家のコーリーン・スミスに会った時、彼女は「創造物としての人種」を見事に一言でまとめてくれた。「ブラックネスはテクノロジー」とスミスは言った。「現実じゃない。それは構造物なんです」

ノースウェスタン大学の教授で医学倫理の推奨者でもあるドロシー・ロバーツは、人種を「致命的な発明」と呼んでいる。なお、彼女は医療や健康保健に関わる専門家たちが人種とＤＮＡを誤用し、医学的な診断をしていることについて、多くの著作を発表している。

「私が『致命的な発明（Fatal Invention）』（二〇一二）を書こうと思ったのは、人種という言葉が、生物学的な意味で再び使われ始めたことに気づいたからです。人種とは生物学的なもので、ゲノム科学がそのうち人種に関する生物学的な真実を発見するだろうという意見が、同僚の教授や講演者のあいだで受け入れつつあることにも気づきました」とロバーツは語る。「調べれば調べるほど、遺伝子のなかに人種を発見したと言う科学者が増え、人種は自然な区分であることを示すような成果が出てきました」[1]

生物学的な存在としての人種は、様々な場面で社会通念として浸透しており、黒人も白人も、力の不均衡や優位性を説明するために人種を利用する。ネイション・オブ・イスラムの指導者として知られるイライジャ・ムハンマドも、白人種というものは邪悪な科学者によって発明されたと説いていた。しかしその一方で、人種差別に対抗すべく、「メラニンは褐色の肌を持つ人びとに優れた直観力や超人的な能力を与えた」という、奇怪な科学を考案した者もいる。

実のところ、公の場で人種の分析が盛んになっても、社会秩序を管理するために考案されたものとして人種が議論されることは滅多にない。不正に立ち向かう人びとでさえ、人種を人が作り出したものだとして話題にすることはほとんどない。この議論は、「人種格差はもはや存在しない」と主張する脱人種主義者（ポスト・レイシャリスト）の議論と同じ結果を辿りかねない。人種は作りものであると言いながら、公平性の欠如によってもたらされる苦痛や社会の弊害といった現実を論じるには、どうしたらいいだろうか？　不平等も想像の産物なのだろうか？　シカゴのＷＶＯＮで放送されている「マット・マッギル・モーニングショウ」に、ロバーツと私が出演した時、怒ったリスナーが電話でこう尋ねてきた。「人種が作りもので、現実でないというなら、人種差別をどうやって説明するんですか？」ロバーツは、人種にまつわる政治的・社会的措置や法律、不平等は実在するとしながらも、人種は生物学的な既定のカテゴリーではなく、社会的・政治的なアイデンティティなのだと答えた。

　これを深く考えてみると、パンドラの箱の蓋が開いたように疑問が噴出した。人種と関連づけられた制限や期待から、我々はどんな決断を下すのだろうか？　こうした制限を取り払ったら、我々の社会生活はどのように変化するのだろう？　友人関係に変化はあるだろうか？　今と同じ地域に住むだろうか？　同じ学校に行くだろうか？　私はその後、こうした質問をオーディエンスに投げかけていくことになる。気が遠くなった。外側の障害はさておき、私たちは人種を理由にどうやって人生を制限してきたのだろうか？　こうして思案するうちに、『レイラ２２１２』シリーズが生まれた。今日の私たちが知っている「人種」が存在しない、未来の有色人種の世界について書きたいと思ったのだ。しかし、現在の文化の価値を示しながらも、現代の民族文化をアイデンティティや背景として利用せず、有色人種を描くことに挑戦したいとも思っていた。これは非常にアフロフューチャリスティックな試みである。そして、これをやるためには、物語の舞台を宇宙にしなければならなかった。

ポストヒューマンの誕生

二〇一一年の秋、私はハンク・ペリシエから電話を受けた。当時、インスティテュート・フォー・エシックス・アンド・イマージング・テクノロジーズ〔IEET／倫理および新興技術研究所〕の特別研究員だった彼は、フューチャリストを対象に論文を募っていた。なお、この研究所はトランスヒューマニズム〔ポストヒューマン・ライフの可能性を探求する未来派哲学〕も提唱している〔トランスヒューマニズムとは技術による人間の進化を提唱する理論〕。今日の私たちが理解している人間という存在は、新しいテクノロジーとともに進化する可能性がある。科学は私たちの寿命を三〇〇年延ばすことができるだろうか？　新しい薬で、睡眠時間を減らすことができるだろうか？　トランスヒューマニストは、人間の可能性を最大限に引き出すことを信条とし、新薬やナノテクノロジー、ロボット文化を通じて、身体面をはじめさまざまな人間の限界を超えることを目指している。一部のトランスヒューマニストは、二〇四五年までに人間がマシンと正式に融合するという大胆な主張を掲げている。私はこれを皮肉に思った。というのも、二〇四〇年代には、アメリカで有色人種が多数派になると予想されているからだ。

ともかく、トランスヒューマニズムは興味をそそるコンセプトである。いつか、普通の人間でいることが、古風（オールドスクール）とされるようになるのかもしれない。出産（これもすでに革命的な変化を遂げている）、食事、死といった身体的な機能も、遠い過去のものとなるかもしれない。しかし、ポストヒューマン・ライフの可能性を理解しようと想像力を膨らませているうちに、私はいつのまにか、人間であることの意味を考えていた。

私たちは自分たちが人間であることについてじっくりと考えることはあまりないが、歴史上では、人権に関する学説や人権をめぐる闘いが数多く存在している。そこでは政治や権利について議論されてきたが、国籍、政治、期待などにかかわらず、誰もが合意する人権がいくつか存在する。不可侵の人権だ。国連の世界人権宣言では、生命、自由および身体の安全といった権利が唱えられており、人間は誰でも「生まれながらにして自由」という信条も謳われている。

少なくとも、これが今日の一般的な見解である。

しかし、時の君主がガリレオの地動説に異を唱えた時のように、科学者や利権享受者が、「誰が人間で、誰が人間ではないか」を議論していた時代がある。世界の資源を利用できる者や、自決権を持つ者を制限するために、肌の色と性別によるヒエラルキーが作られた。

このヒエラルキーは異様なものだ。奴隷にされたアフリカ人の子孫にとって、もっとも受け入れがたい考えのひとつが、私たちの子孫には「人間」とはみなされていなかった時代があるという事実である。これは単なる意見ではなく、一七八七年アメリカ合衆国憲法に示された法的な身分だった。法律上、奴隷のアフリカ人は「人間の五分の三」とされた。現在の私たちが誇らしげに祝っている生命、自由、幸福の追求といった権利は、女性やネイティヴ・アメリカンなど、白人男性ではない者たちには与えられていなかった。市民の権利は、法的な人間のみに与えられていたのだ。

「アメリカの黒人は、動産としてこの国にやって来たため、我々黒人は常に自分が人間であることを証明しなければならなかった」と、サンフランシスコの詩人でアフロシュルレアリストのD・スコット・ミラーは語っている。「私はシャベルではない。私は馬でもない。私はれっきとした人間だ。まったく馬鹿げている」

スティーヴン・スピルバーグ監督の映画『リンカーン』(二〇一二)では、急進的な共和党員で奴隷制反対派のタデウス・スティーヴンスが、「黒人と白人は神のもとに平等なのか。それとも、法律のもとでのみ平等なのか」と、同僚の連邦議会議員から問われる重要なシーンが登場する。奴隷制賛成派の議員を説得し、奴隷制度を廃止する憲法修正第一三条を通過させるために、スティーヴンスは自身の倫理観に逆らい、まもなく解放される奴隷たちは法のもとのみ平等であるべきだと強調せざるをえなかった。議員たちが、人間の地位について交渉する悲痛かつ劇的なシーンだ。なお、修正第一三条が批准される前のアメリカ合衆国憲法は、黒人を「エイリアン」だとは定めていなかった。少なくとも、こうした言葉を使ってはいない。西部開発で儲けた人びとも、アフリカ系の人びとが遠くの星からロケットで運ばれてきたとは語っていなかった。しかし、肌の色に基づいて新たに作り出された力の不均衡に投資した人びとは、アフリカ系の人びとをはじめ、褐色の肌を持つ人びとをダーウィンの進化論の下に置く文献や疑似科学を推奨した。黒人は別の太陽系にある惑星からやって来たわけではないが、神秘的な土地や習慣を持つ別世界からやって来たことは確かである。貶められ、謗られた別世界。こうして黒人は、人間性を奪われた。

　このような人間性の抹殺は、不当に法律化され、暴力的に施行された。プロパガンダやステレオタイプによって維持され、誤った科学によって裏づけられた。どれもすべて、欲という名のもとで広く働かれてきた残虐行為を正当化するためのものである。人間は、こうした手法を用いて、他者の人間性を奪ってきた。大西洋奴隷貿易、アメリカ南部のジム・クロウ（黒人差別）、南アフリカのアパルトヘイト、ヨーロッパのホロコースト、旧ユーゴスラビアやルワンダの民族浄化、さらには世界各地で起こった先住民の大虐殺などは、他者が人間ではないという理由で実行されてきた。

イギリス人ライターのマーク・シンカーは、後にアフロフューチャリズムと呼ばれる文脈で、「人間であることはどういうことか?」を最初に問いかけた人物だとされている。当時「WIRED」誌のライターだったシンカーは、この疑問を投げかけると、ジャズ、ファンク、ヒップホップのなかにある願望やSF的テーマ、テクノロジーを探求した。

「つまりマークは、『ブレードランナー』（一九八二）と奴隷制を結びつけ、エイリアンによる誘拐というアイディアと奴隷制という現実の出来事を関連づけたのだ」とガーナ人作家、コドウォ・エシュンは記している。「驚くべきことだった。これを読んですぐに、私は思った。何ということだろう、この理論は多くのことを可能にすると」[2]

マーク・デリーも「ブラック・トゥ・ザ・フューチャー」のなかで、その類似点を指摘している。「アフリカ系アメリカ人は、きわめて現実的な意味で、エイリアンに拉致された人びとの子孫である」とデリーは記している。彼はアメリカで黒人が経験している人種差別の非道さを、「目には見えないが、決して逃れられない『不寛容』という力場（フォース・フィールド）に動きを妨げられ、過去の出来事を「公式」の歴史から取り消され、テクノロジーで頻繁にその身体に影響を与えられる（焼き印、強制的な不妊手術、タスキギー梅毒実験（一九三二年から七二年までアラバマ州タスキギーで行われたアフリカ系アメリカ人を対象にした梅毒に関する非人道的な人体実験）、テーザー銃などがすぐ思い浮かぶ）というSFの悪夢」になぞらえている。[3]

権力を求める者が、他者の人間性を奪う。こうした嘆かわしい欲求を研究したのは、デリーとシンカーが初めてではない。しかし、二人が思考の枠（フレームワーク）を作り出したことにより、大西洋奴隷貿易をエイリアンによる誘拐のメタファーと結びつけたアフロフューチャリスティックな数々の著作が生まれた。

「人間でないとは、どういうことだろうか？　あなたが人間でないならば、その命は尊重されない。あなたは「エイリアン」、「外国人（フォーリン）」、「外来種（エキゾチック）」、「野蛮人（サヴェージ）」。つまり、制圧されるべき野生の生物か、破壊されるべき迷惑な存在だ。その身体も、あなた自身のものではなく、調査や研究に利用される。あなたには、価値のある歴史がない。文化を創造することもできないが、文化があるとしたら、それは衝動や感情からできたもので、決して知性から創られたものではない。善意のあるなしにかかわらず、人間は非人間と心を通わせることはできない。世界各国に移住する不法就労者に対してよく使われる「不法入国者（イリーガル・エイリアン）」という言葉も、異質な者に対する恐怖、侵略や乗っ取りへの不安を意図的に利用している。アメリカでは、有色人種が多数派となる日が刻一刻と迫っていることから、その恐怖に煽られ、ラテン系の移民をおもな標的とした法律や政策が登場し、盛んに議論されている。移民の擁護者たちの主張によれば、不法就労者や固定観念化された「イリーガル・エイリアン」の民族的特徴に当てはまる人びとが、不当な攻撃や暴力、監視の犠牲となっており、人種的偏見（レイシャル・プロファイリング）に基づく取り締まりをはじめとする人権侵害が増加しているという。

　アメリカの公民権運動だけでなく、植民地時代以前のインドやカリブ海諸国、アフリカ大陸での自治獲得運動の大半も、すべての人に平等な権利を保証するための努力だった。そしてこの闘争は、有色人種、女性、LGBTQ、労働者階級などが人間であることを証明するための努力と類似していた。

自身の人間性を証明しなければならないという重荷から、現代の人権をめぐる最大の偉業が達成され、最高峰の芸術作品が生み出されたのだ。

しかしそれでも、異質というイメージが蔓延している。

虹の向こう側

エイリアンのメタファーは、SFではごく一般的である。『インデペンデンス・デイ』では侵略者、『エイリアン』（一九七九）では宿敵、『E.T.』（一九八二）では誤解された者と、エイリアンの描かれかたに違いはあるが、征服や寛容といった社会的教訓があり、現実における人間の分断を観る者に連想させる。

人種のメタファーをはっきりと打ち出している映画もある。エイリアンが隔離されて居住する南アフリカの地区を舞台にした『第9地区』（二〇〇九）は、アパルトヘイト時代にケープタウンの第六地区で有色人種が強制的に排斥された事件にインスパイアされた作品だ。『アバター』では、帝国主義と先住民文化に対する批判が見え隠れする。『ブラザー・フロム・アナザー・プラネット』(一九八四)では、黒人の姿をした地球外生命体が登場し、現代の人種規範に戸惑う彼の様子が描かれている。

エイリアンとの遭遇をテーマとしたSFの多くは、両者の文化がいかに融合するかに焦点を当て、違いに気づくことで生じる混乱の描写に終始している。

しかし、一部のアーティストは、W・E・B・デュボイスの二重意識や、アメリカ人でありながら黒人であることについての苦闘を、エイリアンのモチーフになぞらえている。サン・ラーからリル・ウェインにいたるまで、アーティストは孤立感を表現するために「エイリアン」のモチーフを使ってきたのだ。

作家のサイディヤ・ハートマンは『母を失って(Lose Your Mother)』(二〇〇八)のなかで、人種的な矛盾のなかで抱く逃げ場のない感覚について、こう記している。「私が時折アメリカに辟易してしまうのは、これが理由だったのだろうか? まるで自分も、一五二六年のサウスキャロライナ州や、一六一九年のジェームズタウンに降り立ったかのような気分になるのだ。行方知れずの母親と、孤児になった子どもたちに引っ張られているのだろうか? それとも、傷ついた人生のくびきや、生粋のよそ者で永遠のエイリアンであることの苦悩を、それぞれの世代が新たに感じていたのだろうか?」[4]

研究者と二重エイリアン

「異質であることをエイリアンで表現する手法は有効だと思います」と語るのは、アフロフューチャリズムについての著作も多いレイナルド・アンダーソン教授だ。人種という概念が作り出す大きな「異質さ」の空間を説明するものとして、エイリアンのメタファーが存在すると考える研究者は多い。アンダーソン教授もその一人である。奇妙な人びとに拉致され、船で連れていかれ、科学的な実験を施され、繁殖させられました。「私たちは、エイリアンに誘拐された最初の人びとなのです。彼らとのあいだに生まれた子どもたちは、ムラート〔白人と黒人のミックス〕、クアドルーン〔四分の一が黒人〕、オクトルーン〔八分の一が黒人〕と分類されました」

また彼は、人種の名のもとに行われた科学実験はSFホラー映画を模倣している、とも語っている。ヘンリエッタ・ラックスは、一九五〇年代にヴァージニア州でタバコ栽培に従事していた女性だ。彼女の細胞は無断で採取され、不死の細胞株を作るために使用され、研究用に世界中で販売された。ヒーラと名づけられたその細胞株は、ラックス自身の死後も生き続け、ポリオワクチンの開発をはじめ、クローン作成、遺伝子マッピング、体外受精などにきわめて重要な役割を果たした。細胞が無重力状態でどうなるかを調べるために、彼女の細胞株は最初の宇宙飛行にも送られた。

エイリアンの概念は、文学における「ブラック・ギーク」研究や、自分の肌への戸惑いをほのめかす表現などを通じて、孤独を説明する手段としても広がっている。二〇一二年の夏、エモリー大学のアフリカン・アメリカン・スタディーズ・コレクティヴは、「エイリアンの身体――アフリカン・ディアスポラにおける人種、宇宙、性別」と題した二〇一三年のカンファレンスに向けて、論文募集を行った。二〇一三年二月八日に開かれたカンファレンスでは、「人種としてのエイリアン」という考えを検証し、疎外され、エイリアン扱いされている人びとをエンパワーするための変革の手段を考察した。また、エイリアンが存在するような「人種、宇宙、性別といった違いを示す目印が現実を『超えている』世界のなかで、『異質なもの』がいかに構成されるかを人びとが理解しはじめる」ための方法を探り、「内的・外的なエイリアン」を克服する方法や、「その状態をいかに保つか」について問いかけた。

アフロフューチャリストの研究者たちは、エイリアンのモチーフを進歩的なフレームワークとして考えており、このフレームワークを利用して、疎外された人びとが抵抗と変革の流儀をいかに取り入れるかを検討しているのだ。

事実はSFより奇なり

事実は小説より奇なりと言うが、事実はSFよりも奇妙だろうか？　現在の話をしてみよう。インターネット、商業宇宙飛行、スマートフォン、「神の粒子」と呼ばれるヒッグス粒子の発見など、これまでSFが紹介してきたさまざまな技術が、いまや現実化している。ある意味、現在の社会はSF小説を超えたとも言える。

アフロフューチャリズムは、こうしたテクノロジーが社会状況に与える影響と、「主義（イズム）」を終わらせて人類を守るテクノロジーのパワー、その双方に関心を寄せている。歴史的に、新しいテクノロジーは両刃（もろは）の剣として出現してきた。社会に橋を架けると同時に、多くの溝を深めたのだ。例えば、火薬はヨーロッパの植民者に力を与えた。彼らが肌の色に基づくカースト制度を作るにあたり、決定的な優位性を与えるテクノロジーだった。初期の遺伝学は、民族の身体的特徴と知性を結びつけるために作られたが、人間性の剝奪、奴隷制、ホロコーストを世界中で正当化してしまった。

科学実験のために、黒人男性に黙って梅毒を注射していたタスキギー実験や、ヘンリエッタ・ラックスの不死化された細胞の利用を見れば、どれほど利益や発見を競っていても、強い倫理観で行き過ぎを抑制しなければならないことがわかる。「ヒーラ細胞は、初めて売買されたヒトの生体物質であり、数十億ドル規模の産業を立ち上げる助けとなった」と、ラックスの不死化細胞に関する著書を持つレベッカ・スクルートは語る。「［ラックスの家族は］母親の細胞が入った小瓶が販売されていたというのに、家族には一切利益が支払われていないことを知って激怒した」[5]

ドロシー・ロバーツは、医学研究や製品販売において、人種がどれほど不適切に利用されているかにテーマとした執筆をしている。ブログ「The Post Black Experience」のインタヴューで、ロバーツはこうコメントした。「社会的不平等に起因する健康面の人種格差を説明する研究はありますが、黒人などの高血圧や喘息を研究している研究者たちは、遺伝的な原因を探しています。しかし研究では、人種的な不平等と、人種的な不平等によるストレスが、こうした疾患に影響していることが示されています」[6]。倫理と新興技術は未来主義者ならば誰もが関心を持つ議論だが、とくにアフロフューチャリストは、こうしたテクノロジーが人種の不均衡をいかに悪化させ、いかに改善するかについて、とても敏感である。

土星の息子

エイリアンというモチーフは、不協和に光を当てると同時に、人間性を奪う行為に抵抗する際に発揮される想像力、熱意、創造性のパワーを考える視点を提供している。「アフロフューチャリズムでもっとも重要なのは、これまでに私たちが与えられてきたもののなかに、必ず代替手段があったことを知ることです」とアレクサンダー・ワヘリイィは語る。「奴隷化や科学実験の歴史を軽視しているわけではありませんが、黒人は常に、こうした抑圧の外で生きる別の方法を作り出してきました」

即興、順応性、想像力は、こうした抵抗の核心をなす要素であり、芸術やブラック・カルチャー全般に顕著である。ジャズ、ヒップホップ、ブルースは芸術的な例だが、即興に基づいた生きかたも存在し、こちらはきちんと理解されていない。「アフリカ大陸に生きる何千もの部族が共有しているのは、即興に対する敬意です」とコーリーン・スミスは語る。「この考えかた自体が、テクノロジーの一種です。西洋社会では、即興とは失敗を意味します。何かうまくいかない時に行うものなのです。しかし、黒人の即興は技能(スキル)の一形態なのです」

論文「文化研究または批評的アフロフューチャリズム──視覚的修辞学、連続的芸術、世界滅亡後のブラック・アイデンティティのケーススタディ(Cultural Studies or Critical Afrofuturism: A Case Study in Visual Rhetoric, Sequential Art, and Post-Apocalyptic Black Identity)」のなかで、レイナルド・アンダーソンは、アフリカ主義に基づいた抵抗の形態としてだけでなく、生存のために独自に形成されたものとして、二重性(ツインネス)の概念を語っている。大西洋奴隷貿易を世の終末として、彼らは世界滅亡を生き延びたのだ。アンダーソンは、アフリカ人奴隷が男女同等の統治権を持つ社会からやって来たことに触れながら、「健全なコミュニティを持つために、人間は男性的な原理と女性的な原理(擁護者–養育者)の双方を有するべきだ」と語っている。このツインネスは、「(女性が)自分自身や私生活を精神的に守るための」生存メカニズムだった、とアンダーソンは付け加えている。また、修辞的な戦略には以下のようなものがあるという。シグニファイング〔ゲームや儀式のように、自慢や侮辱をすること〕、コール・アンド・リスポンス、ナラティヴ・シークエンシング〔物語の順序づけ〕、トーナル・セマンティックス〔イントネーションの意味づけ〕、テクノロジー・レトリック〔テクノロジーにまつわる言葉〕、アジテーション〔扇動〕、ナショナリズム、悲嘆、ノンモ〔話し言葉の創造的なパワー〕、アフリカーナ・ウーマニストまたはブラック・フェミニストの認識論、クィア研究、時間と空間、ヴィジュアル・レトリック〔視覚修辞学〕。これらは抵抗の流儀として存在するとも彼は語っている。[7] しかし、こうしたエイリアンや黙示録的なメタファーの趣旨は、過去のトラウマや現在の疎外感のなかに浸ることではない、とアンダーソンは語る。エイリアンのフレームワークは、理解と癒しのためにあるのだ。

アーティストで教師もしているD・デネンゲ・アクペムが、解放の手段としてアフロフューチャリズムに関する講義をしているのも、これが理由である。「このコースの基本前提は、行動と変革を起こす創造的な能力が、ディアスポラの黒人の生存に不可欠だったという点です」と彼女は語る。

アフロフューチャリズムが持つ解放の使命は、進化へと続くプリズムを提供するのだ。

03

プロジェクト・イマジネーション

Project Imagination

あなたは想像できるだろうか？　人種という概念のない世界を。肌の色、髪の質感、国籍や民族性が、権力や階級、美しさや何にアクセスできるかを決定する要因とはならない世界を。

そんな世界を想像したくない人もいる。実現しないよう力を尽くす人もいる。しかしここでは、不公平に終止符を打ちたいと願う人たちの話をしよう。未来の可能性を信じる人びとには、その世界が想像できるだろうか？　どんな風に見えるのだろう？　どんな感じがするだろう？　想像できなければ、その世界が実現した時、どうやって気づくのだろうか？

理想の社会を目指して、多くの名もなき人びとが闘い、死んでいった。彼らが目指した理想の社会は、多くの人びとが想像できない世界だ。先人たちが夢見た社会を生きる者たちにとっても、慣れ親しんだアイデンティティという概念を捨て、新しい何かを想像することはなかなか難しい。「人種差別には、これも運命なのだと人びとを諦めさせる何かがあります。これが、未来的な思考に影響を与えてきたのです」と、教授で著述家のアロンドラ・ネルソンは語る。「明日のことなどわからない」、「未来は約束されていない」といった言葉は、善意の忠告として使われることが多いが、ネルソンによれば、ブラック・ディアスポラの文化では、こうした言葉はより大きな影響力を持っている。なお、これと対を成すのが預言という概念だという。希望を語って、未来の展望を描くのだ。

「それは、未来的な思考、持続可能性、想像力のことです」

想像力はパワフルだ。社会平等のために心血を注ぐ変革の仕掛人が、希望の物語を口にするのは、決して偶然ではない。マーティン・ルーサー・キング牧師、ジェシー・ジャクソン牧師、バラク・オバマ大統領までもが、自らの使命と演説の中心に希望を据えている。希望は一見、非常に利他的なものだ——自分の考えをじっくりと見直して、星に願いをかければ、誰にでもできる簡単なことのように思える。しかし、ちょっとした権威の後ろ盾を得ることで変貌を遂げた思考は、葛藤に満ちた世界を一変させられるのだ。

想像力と同じく、希望にも高い値がついている。そのコストとは、より多くを期待される人生だ。より多くを期待されるところには、新たな行動が求められる。大いなる希望を抱き、信念を堂々と宣言し、より良い暮らしと世界のために明確な展望を描くことで種が蒔かれ、個人の成長、社会の変革、人生を大きく変えるほどのテクノロジーへと繋がる。欲求、希望、想像力は、社会変革の礎であり、社会変革に反対する人びとがまず標的にするものである。「冷笑していては、前進できません——冷笑とは、不信です」とジャクソン牧師は語る。彼が掲げた「希望を持ち続けよう（Keep hope alive）」というキャッチフレーズは、現代史上でとくに人気を博した言葉だろう。「逆境に負けずに希望を持ってください。恐怖で後戻りしてはいけません。キング牧師、セザール・チャベス、ガンジーは、社会の下層にいる人びとを救いあげ、希望を忘れなかった人びとです」とジャクソン牧師は語る。

想像力、希望、大変革への期待は、アフロフューチャリスティックな芸術、文学、音楽、批評を補強する共通要素である。これらは集団の信念であり、アフロフューチャリズムという美的理念を支えている。想像力、希望、大変革への期待は、プリズムの役割も果たす。このプリズムを通して、自ら生き方を創造する人もいる。そしてこれは、世界をどのように観るかということでもある。

ヴィジョンがなければ、人間は滅びてしまう。

思考の変化

「テクノロジーとしての人種」という概念を取り入れると、私のなかで新たな考えが閃いた。暴力と法律で強行された大西洋奴隷貿易の副産物として、意図的に作られた人種（つまり、白人と黒人の分断および、肌の色に基づく力の不均衡）は、五〇〇年前には存在しなかった。私はこれを講演で話す。観衆が「人為的な創造物」として人種を見始めると、古い考えが激しくかき回され、新しい考えが浮かんでくるのがわかる。

私は、あらゆる事柄を人種と絡めて考えることの多い書き手だ。そんな私には、「レイラ・イルマティック」という、まったく別世界のキャラクターを描くという挑戦が待ち受けていた。キャラクターの身体的特徴をいかに描くか。彼らの家族史をどう説明するか。私は悩んだ。あなたのひいおばあちゃんがアメリカから新惑星にやって来たとしよう。何十億キロも離れた惑星は、アメリカの歴史と繋がりがあるだろうか？　私の想像力は膨らんだ。慣れ親しんだ境界線を越えていくというこの行為は、アフロフューチャリストが求め、奨励している経験である。儀式を基にした芸術でアーティストとしても高い評価を受けているD・デネンゲ・アクペム教授は、アフロフューチャリズムの芸術プロセス自体が、個人の成長を促進すると主張している。

デューク大学でアメリカ黒人史の教授を務めるウィリアム・〝サンディ〟・ダリティ博士は、私をツイッターでフォローしている。彼はレイラのファンだ。オハイオ州立大学で「人種を超えて（Transcending Race）」をテーマとしたカンファレンスを開催する彼から、私のもとにこんな依頼が届いた。『レイラ2212』プロジェクトを使って人種に関する考えを発表し、遠い未来に人種がどうなるかを予測してほしいと。ダリティを含む他のパネリストは、国の人種構成を反映した大学教員陣の影響や、雇用保証が人種の不平等に与える影響など、他の仮説シナリオを発表した。SF的な発想で始まった挑戦は、すぐさまきわめて現実的な問題へと変化したのだ。

新しい社会が地球の成層圏を超えたところで作られた場合、そこには誰が住むのだろうか？　宇宙開発プログラムを持つ国だけが、新世界に足を踏み入れることができるのだろうか？　宇宙飛行の費用を支払えるか否かで、アクセスが決まるのだろうか？　商業的な活動が見込まれる場合、争議が起こった際には誰が裁判権を持つのだろうか？　人間が地球上で新たな土地に植民した事例をヒントにすれば、地球以外の植民でも、さまざまな問題が勃発する可能性があるだろう。

私がプレゼンをした二〇一二年春は、ヴァージン・ギャラクティックをはじめとする民間企業が、宇宙旅行の一般向けチケットの販売開始を発表した頃だった。また、私がプレゼンを終えた数日後には、国際宇宙センターへの初の商業宇宙飛行が実現した。その後、SFファンでもあるダリティは、二〇一三年秋に第一回「人種と宇宙」カンファレンスを開催。このカンファレンスの立ち上げには、私も協力した。ちょうどその頃、黒人女性として初めて宇宙飛行をしたメイ・ジャミソンが、「一〇〇年スターシップ（100 Year Starship）」プロジェクトで政府助成金を獲得したと発表していた。これは、宇宙旅行に必要とされる技術的・社会的な革新を促進するためのプロジェクトである。私たちは、ゲストスピーカーとしてのカンファレンス参加を彼女に打診した。自動継続するエネルギー源の創造から、「DNAの液体（スラッシュ）」としての宇宙飛行にいたるまで、スターシップ・プロジェクトは、太陽系を超えた旅に秘められたあらゆる可能性を調査する。科学の進歩によって、地球の新発明にも変化がもたらされるだろう。しかし、宇宙飛行で技術的な専門知識と同じくらい重要となるのは、心理的な側面である。「お互いそりが合わないために、クルーが成功できないなんて、残念なことです」とジャミソンは語っている。[1]「テクノロジーとしての人種」を分析していくうちに、私は想像力を働かせて執筆できるようになった。それだけでなく、これを現実世界の宇宙への植民問題を解決する実用的なツールとして使えるようになり、読者の共感を呼べるようになった。現在の行動が未来を決めるように、未来を創造することで、現在を変えることもできるのだ。

過去を描き直す

初めて黒人発明家の巡回展を訪れた時、私は畏敬の念に打たれた。「黒人発明博物館（Black Inventions Museum）」展は、シカゴのデュサブル・ミュージアム・オブ・アフリカン・アメリカン・ヒストリーによって主催された。なお、この博物館を擁するワシントン・パークでは、約一〇〇年前の二〇世紀前半に、コーネリアス・コフィーとジョン・C・ロビンソンが自作の飛行機をテストした。またここは、サン・ラーが音楽の力について考えを練りながら、人種、宇宙、形而上学についてのインスピレーショナルな自費出版物を配っていた公園でもある。しかし、私は黒人発明家の存在に驚いていたわけではない。信号機、冷蔵庫、血液バンク、アイロン台、現代のコンピューター（これには驚くことが多い）、スーパー・ソーカー〔水鉄砲〕、芝刈り機など、黒人による発明ならば、かなり多くの例を知っているつもりだった。こうした発明のことは、以前にも聞いていた。驚いたのは、その膨大な量だ。また、こうした発明が日常生活のあらゆる側面に及んでいることや、科学の世界に与えた影響にも衝撃を受けた。スペースシャトルに黒人が関わっていたことは、私も知らなかった。

大作映画を観る時にかける3Dメガネを発明したのがケネス・ダングリーだということや、世界最速のコンピューターを作ったのがフィリップ・イマーワグリ博士だということも知らなかった。シャーリー・ジャクソン博士は、ベル研究所に勤務しながら、携帯ファックス、プッシュフォン、太陽電池、光ファイバーケーブル、発信者番号通知、割り込み着信など、現代のおもな通信技術の発明や進歩に貢献した人物とされている。私はスマートフォンを手に取るたびに、ジャクソン博士に感謝している。

その数は無限にも感じられた。この展示があなたの街にもやって来たら、ぜひ足を運んでみてほしい。

この展示は壮観の極みだった。軽い気持ちでやって来た人ですら、「黒人が発明しなかったものなど、存在しないのでは?」と考えてしまっただろう(もちろんあるが、それほど広範にわたる発明が展示されていた)。私は、自分がこうした発明家を知らなかったことに憤慨した。科学やテクノロジーが論じられる時、黒人科学者や発明家のイメージが浮かばないことを不愉快に思った。必要は発明の母である。また、歴史上の障壁はあったにせよ、創造や発明は肌の色で決まるものではない。こうした発明が自分と似た人びとによるものだと知ったら、黒人の子どもたちは、どれほど勇気づけられるだろう。あらゆる地位・職業の人びとが、科学とテクノロジーの革新に日々貢献を続けている。これは世界に広く知られるべきことだと思った。また、アイディアの力と、想像力が生み出すしなやかな強さについても私は思いを馳せた。

アフロフューチャリズムを研究する者たちの仕事は、現在と過去の発明家を世に伝え、彼らの物語を科学、テクノロジー、創造性、人種にまつわるより大きな会話に組み込んでいくことにある。アロンドラ・ネルソンは、先述したように、一九九〇年代後半にアフロフューチャリズムのメーリングリストを立ち上げた。テクノロジーと黒人の経験を考察することに特化した初のオンライン・コミュニティだ。彼女は今、アフリカ系アメリカ人、文化、テクノロジーについて執筆している。希望と想像力のストーリーと、黒人科学者や医療従事者のあいだでこうしたストーリーが果たす役割について、彼女はこのメーリングリストで紹介していた。「私は音楽を見るためのレンズという枠を超えて、アフロフューチャリズムを見てみたかった。サン・ラーやリー・〝スクラッチ〟・ペリーといった重要な人物がいることは素晴らしいけれど、文学と音楽を考察する以上のことをやりたかった。こうした見識を使って、他の種類のプロジェクト、つまり、社会科学的なプロジェクトを考察する方法を見つけたいと思いました。STEM〔科学、技術、工学、数学〕の分野に有色人種を参入させるには、どうしたらいいだろう？ アフロフューチャリズムは、文学や音楽、理論を通じて、科学やテクノロジーを担う人びとのイメージを変える手段となりえるのだろうか？ そんなことを考えたかったのです」

インターネットの隆盛

一九九〇年代半ばから二〇〇〇年代半ばのアフロフューチャリストたちは、当時の革新的テクノロジーと格闘していた。インターネットだ。インターネットは世界のコミュニティを結びつけ、情報ポータルとなり、商取引に参入するハードルを下げた。コンピューターとインターネット・サーヴィスさえ使えれば、ジンバブエの小事業主が世界進出することも可能になり、アメリカの都市部に住む子どもたちが無制限に情報を入手することもできるようになった。また、マウスをクリックするだけで、資金の乏しい人びとも自分のストーリーを語り、記録し、公表することができるようになった。情報格差（デジタル・ディバイド）、有色人種でコンピューターを持つ子どもと持たない子どもの比率、貧困地区におけるブロードバンドの制限や、有色人種が多数を占める学校のコンピューター不足といった報道が、メディアに溢れた。こうした切迫感から、インターネットをテーマとしたさまざまなカンファレンスが始まった。インターネットの学術的な研究と、相互接続した世界の商業的な可能性のあいだで、インターネットへの平等なアクセス実現は、活動家やテクノロジー企業にとっての優先事項となった。「アフロギークス」カンファレンスは、二〇〇四年と二〇〇五年にカリフォルニア大学サンタバーバラ校で開かれた。アンナ・エヴェレット教授が創設したこのカンファレンスは、アメリカ都心部、アフリカ、アフリカン・ディアスポラにおける新しいメディアと技術革新を中心議題としている。情報技術（IT）へのアクセスを阻む構造的な障壁、ブロガーとヴァーチャル・コミュニティ、従来の科学教育が黒人の青少年に与える影響、先端テクノロジーを使った人種監視とレイシャル・プロファイリング、革命的なITの利用と導入の効果的なモデルなどのトピックも論じられた。

テクノロジーと人種の議論は、アフリカ系アメリカ人コミュニティで進行している技術革新を顧みず、分断を強調している、とカンファレンスの主催陣は主張している。「情報技術革命の完全な参加者として認められることは滅多にないが、黒人はごく初期からITを導入し、もっとも熱心かつ革新的にITを利用している。アフリカ系の人びとによる技術導入の長い歴史を知らない人があまりにも多いため、地域的にも世界的にもブラック・コミュニティへの公平で財政的に健全なIT投資、政策、機会が制限されている。こうした人種に基づいた投資の駆け引きによって、『ブラック・コミュニティにおけるテクノロジーへの公平なアクセスの欠如が、テクノロジーに関するリテラシーやコンピテンシーの欠如を生みだしている』という、自己実現的な予測や、誤った論拠が作り出されているのだ[2]」という声明が、カンファレンスのウェブサイトに掲載されている。エヴェレットは後に、『アフロギークス——情報格差を超えて（AfroGEEKS: Beyond the Digital Divide）』（二〇〇七）という本をアンバー・ウォレスと共著した。

こうしたアクセスの欠如は、オンライン・ビジネスの黎明期で際立っていた。フェイスブックに代表されるようなIT系スタートアップ企業への出資ラッシュや、ニューメディアの創生、ブロガーの流行などの最中で問題となったのだ。しかし、インターネットが普及したことで、オーディエンスにリーチしたり、サービスを販売したり、情報を発信したりするコストが、にわかに最小化された。しかも、このテクノロジー（とくにSNS）の利用度は、アフリカ系アメリカ人家庭が一般家庭を上回っていた。アメリカでは、ツイッター利用者の四分の一以上が黒人である。[3] それでも、黒人がテクノロジー系ビジネスから利益を得る機会が少ない、という課題は残っている。公平な競争条件を実現するには、こうしたツールをどのように利用できるだろうか？　答えを求める旅路は続く。こうした問題のなかでとくに重要なのは実用性だが、アフロフューチャリスティックな流れを汲んで創造された芸術や文学は、現代における社会変革やテクノロジーのほかにも、未来を再考するという取り組みそのものに、明らかな影響を与えてきた。

当然のことながら、インターネットと現代のテクノロジーは、アフロフューチャリズムのなかにある発想を前進させている。ゲーマー、アプリ制作者、テック系のスタートアップ企業、発明家、アニメーター、グラフィック・アーティスト、映像作家は、より速くより安いツールを自由に使って作品を完成し、世界に発信している。こうした作品を生み出すアイディアは、SNSで瞬時に共有される。「このムーヴメントは進化していると思います」と語るのは、アーティストでアフロフューチャリストのステイシー・ロビンソンだ。彼は神聖幾何学の原理をヒントに作品を創造している。「テクノロジーが触媒になった。テクノロジーがアフロフューチャリズムを前進させるとは、皮肉な話だと思います。私たちはこれまでずっと、人種について語り、理論化してきましたが、現在では私たちと同じような気持ちを抱いている人びとと話すことができます。過去を検証し、未来を理論化できるのです。昔ならば、ブッカー・T・ワシントンやW・E・B・デュボイスが人種についての会話を独占していたでしょう。しかし今では、オンラインのハンドルネームしか公表していない誰かが、ネット上で貢献できるのです。これこそがアフロフューチャリズムだと思います。ネット上で新たにペルソナを作り、簡単に新たなアイデンティティを作って、自分自身を探求できるのです。私たちは、黒人科学者について学んでいます。彼らは、アフロフューチャリストが理論化したことを実際にやっている——アフロフューチャリストが子どもの頃に考えを巡らせ、想像したことを発明しているのです」

火星調のマザーシップ

アフロフューチャリズムと音楽

Mothership in the Key of Mars

アフロフューチャリズムの創始者で、エキセントリックなジャズ・アーティストとしても知られるサン・ラーは、宇宙時代が幕を開けてまもなく、NASAに滞在して音楽制作をしたいとリクエストを送り、却下された。サン・ラーは、土星を神話上の故郷とするアラバマ州生まれのミュージシャンだ。音楽とテクノロジーによって世界は癒され、変革されると信じていた。また、宇宙旅行や電気技術の可能性にも魅了されていた。サン・ラーのリクエストはNASAに却下されたが、彼のアイディアは決して死なななかった。半世紀後、テクノロジーを愛し、アフロフューチャリスティックな感性を持ったポップ・アーティストが、火星人も聞ける曲を作ることとなる。

ブラック・アイド・ピーズのフロントマンで、ヒップホップ・プロデューサーのウィル・アイ・アムは、その音楽活動で無数の賞を獲得してきたが、火星で〈Reach for the Stars〉（二〇一三）を初放送したことに勝る栄誉はないだろう。「こっちは月面についた足跡を見てるっていうのに、どうして空が限界（スカイ・イズ・ザ・リミット）だって言うんだ？」とウィル・アイ・アムは歌う。これは、太陽系で史上初となる惑星間の音楽放送となった。NASAの火星探査機キュリオシティの歴史的な着陸を記念して、同曲は二〇一二年八月二八日に地球から火星を往復し（約五億三一〇八キロ）、カリフォルニア州パサデナの研究所にいる学生や科学者に届けられると、再び火星へ戻され、火星でも放送された。火星から曲を発信するというアイディアは、ウィル・アイ・アムが思いついたものだ。NASAのチャールズ・F・ボールデン長官は、NASAを一〇代の子どもたちに宣伝する方法についてアイディアを出し合おうと、ウィル・アイ・アムに電話をかけた。火星から発信される曲を作ってはどうか、とウィル・アイ・アムが提案すると、NASAの関係者たちは尋ねた。誰が曲を書くのか？

「『本気で言ってます？　僕が書きますけど！』って言ったんだ」と、ウィル・アイ・アムは回想している。[1]

約四分のこの曲は、伝統的な楽器と最高峰のビート制作技術を融合し、テクノ・ビートに合わせて演奏する四〇人編成のオーケストラをフィーチャーしている。「可能性に制限を設けられない人生を送り、人類とテクノロジーのコラボレーションを追求できるよう、若い人びとをインスパイアする曲」とウィル・アイ・アムは語っている。彼の願いは、この曲が時代や文化を超越することだ。

科学を長年愛してきたウィル・アイ・アムは、STEMセンターの支持者だ。STEMとは科学、技術、工学、数学を意味し、STEMセンターはこの四つに重点を置いた学際的な学校である。彼はまた、子どもたちが身の回りのテクノロジーに目を向け、創造性、科学、芸術を使って環境を変えられるような活動に力を入れている。「科学とテクノロジーは、すでに大衆文化の一部だ。iPodにiPad、さらにツイッターやフェイスブックを動かすコードはすべて、STEMの教育を受けた人びとによって作られている。STEMの世界は、この事実を世間に知らせる方法をまだ見出していない」と、ウィル・アイ・アムは曲の発表後に語っている。

「二〇〇年後には、自分の地元が変わっていてほしい。ボイル・ハイツ（ロサンゼルス東部の街。労働者階の地区として知られている」に住む子どもの一人がマーク・ザッカーバーグになるだけで、この地域は永遠に変わるんだ[2]」

NASAと仕事をしているミュージシャンは、ウィル・アイ・アムだけではない。エチオピア系アメリカ人からなるヒップホップ・グループ、コッパーワイアはアメリカの科学者の協力を得て、星の光度を音に変換したグラフ（星からの音楽）を集めると、それを新しいアプリのなかでミックスしている。二〇一二年四月、コッパーワイアはアルバム『Earthbound』をリリース。人気のクラウドファンディング・サイト、キックスターターで資金を募った彼らのアプリには、拡張現実の宇宙飛行ゲーム、インタラクティヴなアート・ウィジェット、コミックブック、未発表曲やアートワーク、演奏可能な楽器なども含まれている。「銀河的な視点で音楽を作るという発想を持つと、音楽が存在する世界全体を創造できるようになります」とメンバーのバーントフェイスは語る。なお彼は、グループが制作したアンドロイド・アプリ「Phone Home Remi(x)」の3Dモデラー――兼グラフィック・デザイナーでもある。[3] このアプリのアルゴリズムは、一〇桁の電話番号をもとに曲のヴァリエーションを二〇〇万通り生成することができる。

未来のサウンドトラック

アフロフューチャリストは、普遍的な愛を尊重し、サウンドやテクノロジーを再解釈し、失われた過去の美を「調和の取れた未来の真髄」として表現する。音楽は精神への作用に満ちているが、テクノロジーの新時代においては、文字通り成層圏を超えることもできる。常に時代を先取りするアフロフューチャリストの音楽は、宇宙的なサウンドを有しながら、時代を具現化するのだ。サン・ラーの『Astro Black』(一九七二)、リー・"スクラッチ"・ペリーの『Disco Devil』(一九七七)、ブライズ・オブ・ファンケンシュタインの『Mother May I?』(一九七九)、エクスキューショナーズがライヴDJでも披露したドレクシアの『Drexciya's 2 Hour Mix—Return to Bubble Metropolis』(一九九二)、フライング・ロータスの〈Dance of the Pseudo Nymph〉(二〇一〇)を聴いてみてほしい。遠い星からやって来た黒い箱舟に揺られ、航海しているような気分になるだろう。

しかし、音楽は良い気分をもたらすだけのものではない。物理学者でミュージシャンのステフォン・アレクサンダーは、ジャズ界のレジェンド、ジョン・コルトレーンの『Giant Steps』(一九六〇)が、アインシュタインの相対性理論を聴覚的・物理的に図式化したものであると、TEDトークで明かした。アレクサンダーはコルトレーンが描いた図を偶然発見し、それが量子重力理論を幾何学的に描いたもので、曲中の音符やコードチェンジと一致していることに気づいた。この発見が口火を切り、音楽と量子物理

リー・"スクラッチ"・ペリー『Disco Devil』

学の類似性について研究が進み、アレクサンダー率いるチームは、西洋の音階がDNAの二重螺旋に似ていることも発見した。

「とてつもないことです」と語るのは、哲学者のジェイムズ・ハイレだ。二〇一三年にデュケイン大学で「黒人の実存主義者が集うカンファレンス」を主催したハイレは、アレクサンダーの講演を見て、音楽と量子理論の関連性に呆然とした。「今まで耳にしたなかで、いちばん興味深い話かもしれない」と彼は語る。「そうだろうとは思っていましたが、教育を受けた物理学者がそれを証明したことで、それが単なる思い込みでないことがわかりました」。このような発見は、アフロフューチャリストにとってどのような意味を持つのだろうか？　「この発見は、素粒子物理学をいかにアフロフューチャリズムに取り入れ、さまざまな概念を具体的にまとめることができるかを示しています」とハイレは語る。世界全体にとっては、この発見によって、音楽の持つ力に新たな奥行きが生まれる。

「アフロフューチャリスティックな音楽は、現在の文化的な規範や常識を超える音楽です」と語るレオン・Q・アレンは作曲家／トランペット奏者で、ラテン・ジャズとハウス・ミュージックを融合し、両ジャンルの未来的な表現法を作り出している。彼は『レイラ2212』のサウンドトラックにも参加しており、世界的な名声を誇る伝説的な集団、AACM（音の癒しを重視する、サン・ラーに影響を受けた前衛集団）のメンバーでもある。彼はアフロフューチャリスティックな音楽を「未来的な要素」だとし、「文化的な意義のある新たな場所へと前進する音楽なのです」と語っている。

アフロフューチャリズムは、音楽のなかに豊かな歴史を持つ、未来を見据えた唯一の美学だ。ジョージ・クリントン、サン・ラー、ブーツィー・コリンズ、ジミ・ヘンドリックス、リー・〝スクラッチ〟・ペリー、グレイス・ジョーンズ、ラベル、アウトキャスト、エリカ・バドゥ、ジャネール・モネイ、エクセキューショナーズ、ファンク、ダブ、ターンテーブリズム、サウンドクラッシュ、デトロイト・テクノ、シカゴ・ハウス、さらにはジョン・コルトレーンやマイルス・デイヴィスまでもが、アフロフューチャリスティックな文脈で語られてきた——限界を押し広げる音楽だ。インスピレーショナルな歌詞、音楽のなかの新しいテクノロジー、衝撃と畏怖を引き起こすパフォーマンス。これらを通じて、音楽の概念だけでなく、場合によっては黒人のアイデンティティやジェンダーのアイデンティティに関する考えも進化してきた。「そのアプローチは、特定の音楽スタイルに限定されません。欲求に基づくアプローチです」とレオン・Qは言う。「社会と文化のなかで何が起こっているかを観察し、その時に起こっていることの傾向やパターンに目を向けなければならないのです」

自分を高めたいという欲求や、肌の色による区別や分離が顕著な社会的制約から自由になりたいという願望は、妖精の粉のごとく曲のなかにちりばめられている。その音楽は、アフリカ音楽に由来する普遍的なリズムを有しながらも、未来に向かっている。アフロフューチャリストの音楽に垣根はない。あらゆるものでリズミカルなサウンドが作られる。遵守すべきアレンジはなく、コーラスやヴァースには決まった構造もない。その言葉遊びは見事だ。

その水準は高い。「マディ・ウォーターズから、ジミ・ヘンドリックス、マイルス・デイヴィス、現在にいたるまでのアーティスト――自分の先達をすべて並べて、彼らの前に立っている自分の姿を想像してみてほしい。あなたは、同じぐらい重大な貢献をしているでしょうか?」とモーガン・クラフトは問いかける。彼はミシェル・ンデゲオチェロなどと共演してきたエレクトリック・ギタリストだ。「過去の巨匠たちと同じくらいの馬力で前進しなければならない。彼らと同じ水準に達することができなければ、時間の無駄です」

音楽のなかにアフロフューチャリズムの存在を示す宇宙的な基盤があるとすれば、その基盤はサン・ラーとジョージ・クリントンになるだろう。宇宙の音楽神話というコンセプト、現実離れしたアフリカ風の宇宙的コスチューム、理屈とは矛盾する言葉遊び、伝統楽器と電子楽器の使用したサウンドの再定義、普遍的な愛の推進などは、サン・ラーとジョージ・クリントンによって確立された。今日のアフロフューチャリストのインスピレーションの源として、他のどのアーティストよりも名前を挙げられているのがこの二人だ。一九七〇年代にそのファンク・サウンドが大きな注目を浴びたクリントンは後年、サン・ラーにインスパイアされたと語っている。サン・ラーは、一九五〇年代に宇宙時代のサウンドを作り始めた。

宇宙服を着たり、キラキラと光るパンツを穿いたりと、宇宙的なファションを取り入れたアフロフューチャリスティックなアーティストは多いが、アフロフューチャリストの先駆者と称されるアーティストたちの場合、宇宙というテーマは、宇宙時代を利用するための珍妙なギミックでもなければ、突飛なマーケティング戦略でもなかった。光沢のあるカラフルな衣装は、より高次元の思考を刺激し、観客に新しいものを披露する前段階としての視覚的なツールとして機能していたのだ。

衣装にはまったくこだわらず、新しいテクノロジーを創造的に利用することに重きを置く場合もあった。また、皮肉と不協和音が際立つ言葉遊びは、リスナーが認識する現実に疑問を呈した。「パーラメント、ファンカデリック、サン・ラーで凄いと思うのは、彼らがほとんど暗号で話していたことです。古い黒人霊歌(ニグロ・スピリチュアル)のように、一行のなかで三つのことを話している。内輪の人間でなければ、ほとんど理解できない」と、作曲家でアレンジャーのショーン・ウォレスは語り、ヒップホップで最高のリリックも同じように多層的な言葉を使っている、と指摘している。

アフロフューチャリストは、悟りの道を進むリスナーに挑戦を突きつけることを楽しみ、現実として受け入れられていることをひっくり返す。コードのアレンジ、奇抜さ、純然たる大胆さなどを使い、リスナーを宇宙の果てに放り込むことに喜びを感じているのだ。

サン・ラーという先駆者

ハーマン・プール・ブラウントとしてこの世に生を受けたサン・ラーは、一九四〇年後半にアラバマ州バーミングハムからシカゴへと移った。この頃の彼は、非凡な才能を持つジャズ・ミュージシャンとしてすでに尊敬を集めていた。しかし、電子音楽をひたすら愛し、いつか人類は月に着陸するという予言をしたことで、彼は他とは一線を画す存在となった。「彼はすごい読書家だった」とアーサー・ホイルは語る。彼は一九五〇年後半にサン・ラーと共演していた著名なジャズ・アーティストだ。ジャズ・バンドとジャズ・クラブがシカゴのサウスサイドに繚乱していた時代、サン・ラーはシーンに欠かせない人物だった。懐中電灯にソーラー・ヘルメット、SF的なアフリカ風の衣装がトレードマークになる前の彼は、界隈でもとりわけ学識のあるミュージシャンとして知られており、ワシントン・パークにたびたび現れては、自説をまとめた文献を配っていた。彼が読んでいたのは、神智学、数霊術、形而上学、SF、聖書学、アンダーグラウンドなオルタナティヴ・ヒストリーや、アフリカ史に関する書物だ。他の人たちが疑問にすら思わない事柄に答えを求めた彼は、メディアや学校で喧伝されているヨーロッパ中心主義の教えとは異なる、世界の起源を理論化した本に惹きつけられていた。

サン・ラーは、音楽を癒しに使いたいと思った。彼には牧師のような転機があった。それは霊的な啓示でもあり、本人曰く宇宙人との遭遇でもあった。こうして彼は、自分が人びとに癒しをもたらすためにこの世に生まれてきたと信じるにいたった。知識のギャップを埋め、消し去られた有色人種の貢献を発見し、人種／階級の分断を粉砕しよう。そう決意した彼は、情報収集のために人生の大半を費やした。この探求心と、古典やメディアではすぐに入手できない答えを知りたいと思う欲求が、彼の音楽活動の原動力となった。一九五〇年代から六〇年代前半のジャズを定義したビッグバンドやビバップの演奏に長けていた彼だが、その形式に囚われたくなかった。こうして彼は、エジプトの太陽神にちなんでサン・ラーと名乗り、自分は土星から来たと言うようになった。

サン・ラーは、まったくのオリジナルだった。アフロフューチャリズムの創始者で、電子音楽の先駆者。ジャズ畑やその他のミュージシャンが電子キーボードを使い始めるずっと前から、複数の電子キーボードを演奏していた。さらに、彼は今日スペース・ミュージックと呼ばれるジャンルの草分けでもある。これは、ニューエイジやアンビエント、エレクトロニカなど、瞑想のために作られた音楽だ。「彼は時代のはるか先を行く、きわめて独創的なコンセプトを持っていた」と、アヴァンギャルド・ジャズのフルート奏者、ニコール・ミッチェルは語る。彼女は二〇歳でサン・ラーに出会った。「彼はアフリカ系アメリカ人のなかでも、いち早く自分のレコード会社を作りました。ジャズ・アーティストとして、誰にも先駆けてアフリカのパーカッションを取り入れ、電子機器を音楽のなかに組み込んだ人物でもあります。彼は、音楽が持つ真の力を見つけようとしていました」。ミッチェルによれば、サン・ラーは音楽でテレパシーを発達させることができるとも信じていたそうだ。

探求すべきアイディアを数多く抱えたサン・ラーにとって、宇宙というアナロジーは、音楽や人間の限界から逃れる理想的な方法だった。また、彼が音楽を通じて答えを出し、語ることに心血を注いできた人生の疑問ついて、クリエイティヴに考察することも可能にした。音楽と宇宙旅行をハイパーリンクすることで、サン・ラーは創造的なアプローチを生み出した。彼は癒しのトーンや新しいサウンドを探求し、ビバップの次元を超えたジャズを作り出した。〈Astro Black〉（一九七三）、〈Nubia〉（一九六九）、〈Dance of the Cosmo Alien〉（一九七八）といった楽曲は、宇宙の起源に思いを馳せている。そのサウンドは、モダン・ジャズのルールを守ると同時に破っている。

アーサー・ホイルは、ライオネル・ハンプトンとのツアーに出る前に、シカゴでサン・ラーと共演した。一九六一年にサン・ラーがニューヨークに移住してまもなく、二人は同地で再会している。サン・ラーと彼のアーケストラは、宇宙服のような衣装と精巧なワイヤー入りヘッドギアという出で立ちで階段を上がってきたという。甲冑のような金属製の装飾物を身につけていた彼らが歩くたび、ガチャガチャと音が響く。隣人は廊下を覗き込むと、すぐにドアを閉めた。「彼らが宇宙から来たと思ったのでしょう」とホイルは語っている。土星出身を自称していたサン・ラーだが、自身とその音楽のために、成層圏を超えた領域にエキセントリックな宇宙論を創造したのだ。

サン・ラーはまた、ショウマンでもあった。演劇的な衣装と音楽の組み合わせは、五感を攻め立てるワンツーパンチとして、アフロフューチャリズムに関わる多くのアーティストの手本となった。彼は自分でアルバム・ジャケットを描くこともあった。熱烈な詩人でもあった。ニューヨークに居を移した頃には、舞台衣装を毎日身にまとい、同じく土星生まれの若きアーケストラの面々と、ハーレムの通りを闊歩していた。バンドは寝食を共にしながら音楽を作り、サン・ラーの哲学に浸って、相乗作用で独自のアプローチを作り上げていった。リハーサルの休憩時間などで彼と会話した人は、世界の謎を解き明かそうとする彼の議論に付き合わされ、その話に魅了されることもあった。

サン・ラーは一九七四年、ジョン・コニー監督のインディ長編映画『スペース・イズ・ザ・プレイス』に主演した。サン・ラーの生き生きとしたピアノ・ソロとリズミカルなビッグバンドのスペース・ミュージックをバックに、自己決定の難しさを浮き彫りにした摩訶不思議なこのカルト・クラシックは、彼のレパートリーのなかでもとくに人気の高い楽曲にちなんで名づけられた。地球に帰還したサン・ラーが、アフリカ系アメリカ人に地球を去るよう呼びかける。「別の星の下」で別の波動を持つ遠方の惑星で新たな人生を送ろう、と説得に励むというストーリーだ。

サン・ラー『Astro Black』

映画は、緑豊かな惑星の景色で幕を開ける。サン・ラーは新しい入植地で、彩りゆたかな庭のなかに座っている。エジプトのスフィンクスをかたどった王冠を被り、時間という概念が正式に終了したと告げると、自分は「時間（という尺度）を超えて動いている」と付け加える。それから彼は、「同位体瞬間移動（アイソトープ・テレポーテーション）、トランス分子化（モレキュレーション）を通じて」、黒人の民衆をこの世界に連れて来てみせる、「いっそのこと、音楽を通じて地球自体をテレポーテーションしてしまおうか」と語り、過去に戻って自分が音楽活動していた場に辿り着くと、「監視者（オーヴァーシーヤー）」という名のポン引きをはじめとする自由の番人と戦いながら、音楽を使って人類をはるか彼方のコロニーに運ぶための冒険に乗り出す。カテゴリー分けできない映画だが、サン・ラーが生命の結束を讃えていることは明白だ。「そう、君も音楽だ」と彼は言う。「我々はみんな楽器なのだ。この広大な宇宙のアーケストラで、誰もが自分の役割を果たすべきである」。『スペース・イズ・ザ・プレイス』は、ミュージシャンとしてのサン・ラーの目的を伝えながら、聴く者の感覚を変化させるサン・ラー・サウンドの理解を促す豊かな世界を作り出している。

サン・ラーは世界中で高い評価を受け、熱狂的なファン・ベースを獲得したが、決してチャートの上位に入ることはなかった。それでも、何百人ものミュージシャンが彼の指導を受けた。サン・ラーが大切にしていたミュージシャンの一人に、ケラン・フィル・コーランがいる。電子カリンバ「フランキーフォン」の発明者だ。「スペース・ハープ」の別名を持つこの楽器は、サン・ラーのアルバム数枚でも用いられている。ちなみに、コーランはモーリス・ホワイトの音楽教師でもあった。ホワイトは後にR&Bグループ、アース・ウィンド&ファイアーを結成。同バンドは愛と平和の歌で名声を博すが、宇宙にインスパイアされ、エジプトをテーマにした衣装でも評判を博した。

一九九三年にサン・ラーが死去してまもなく、アフロフューチャリズムが誕生した。

ファンク・トゥ・ザ・フューチャー

ジョージ・クリントンも、当時のソウル・ミュージックを一新した存在だ。かつてジェームス・ブラウンのバンドに在籍していたコリンズ兄弟（ブーツィーとキャットフィッシュ）が奏でる流麗なコードと反復するベースラインを武器に、ジェームス・ブラウン・バンドのタイトなファンクに挑戦を挑んだのだ。彼らは新たなファンクを生み出した。シロップのような粘りのある、ベースの効いた音楽スタイルだ。トライバルなドラムの代わりにミッドテンポのベースギターを使って、トランス状態に似たエクスタシーを生み出すこのサウンドは、一九七〇年代を象徴し、二一世紀の音楽に影響を与えることとなる。「JBは聴く者の意識を高め、パーラメント/ファンカデリックは、聴く者の意識を変容させました」とレオン・Qは語っている。

パーラメント『Mothership Connection』

クリントンによれば、彼が新しいファンク＝Pファンクを生み出した当時は、ブラックネスが商業化していたという。「黒人がいるって思わないような場所を探さなきゃならなかった。そしてそれが宇宙船だったんだ」と、彼は一九九六年のドキュメンタリー『史上最後の天使(The Last Angel of History)』で語っている。[4] パーラメント四枚目のアルバム『Mothership Connection』(一九七五)のジャケットには、サングラスをかけてメタリック・シルヴァーの服を着たクリントンが、空飛ぶ円盤から出てくる(もしくは入っていく)姿が写っている。このマザーシップはシリウス星からやって来た。ドゴン族の創世論を彷彿とさせる。

クリントンはノースカロライナ州で生まれ、ニュージャージー州ニューアークで育った。理容師をしていた彼が結成したドゥワップ・グループのパーラメンツは、一九六〇年代後半の社会変革とうまく結びついた。スライ・ストーンやジミ・ヘンドリックスのようにR&Bとサイケデリック・ロックを融合しながら、マザーシップは失われたアフリカの過去と、輝かしい宇宙時代の未来をつなぐ架け橋となった。

クリントンが思い描いたファンクは、ダンス、脈動するベースライン、アイロニー、メタファー、芝居、自由の色合いを帯びた宇宙的な喩えを使って、精神の解放を目指す音楽だった。ある意味、クリントンと彼のバンドは、惑星の自由を讃えるパーティ・ミュージックを作っていたのだ。

「ブラック・カルチャーでファンクが象徴していたのは、炸裂する狂気です」とレオン・Qは語る。「あの音楽は、混沌を包含していた。統一感を持ちながら、同じくらいの混沌を抱えていました」

しかし、サン・ラーと同様に、ファンクも人類の普遍性や調和を讃えていた。クリントンはサン・ラーのコンセプトを取り入れ、ポップ・カルチャーの一部にした。「誰もが地球よりも高いレベルに身を置きたいと思っていたのです。彼の音楽を聴けば、宇宙に行けるかのようでした」とレオン・Qは語る。サン・ラーのように、クリントンも電子楽器を早くから積極的に取り入れていた。「ジョージ・クリントンのアプローチは、『どうしたらこの音楽を未来的な音にして、サウンド的にも精神分析的にも、より高いレベルに引き上げられるだろうか?』というものでした」。このコンセプトは、瞬く間に広がった。

パーラメントとファンカデリック、さらにはそこから派生したファンク・バンドは、〈One Nation Under a Groove〉(一九七八)、〈Flash Light〉(一九七七)、〈Mothership Connection〉(一九七五)など、数々のヒット曲を放った。今日、パーラメントとファンカデリックは史上屈指のバンドの誉れを受けており、一九九七年にはパーラメント/ファンカデリックとして、ロックの殿堂入りも果たした。「リスナーはファンクの宇宙性に感化されて、自分も宇宙的になりたいと、こうした概念を知りたがるようになりました。誰もがジョージ・クリントンを聴いていました。誰もがマザーシップに乗りたいと思っていました。みんな、自分の生きる時代を超えて前進したいと思っていたのです」とレオン・Qは言う。クリエイターを含め、一部の人びとはドラッグを使ってこの境地に達しようとしたが、音楽だけでも十分に高揚感を得ることができた。

パーラメントとファンカデリックは別のバンドだ。ただし、ほとんど同じメンバーで構成されており、どちらもクリントンのヴィジョンを反映している。パーラメントがより洗練された商業的な楽曲に力を入れる一方で、ファンカデリックはより複雑なストーリーと、サイケデリック・ロック的な魅力が光る自由なアレンジのグルーヴを追求していた。パーラメントでは、クリントンのオルター・エゴであるファンケンシュタイン博士が、地球人にファンクを教えるために宇宙から現れ、パーラメントのコンサートは、巨大な宇宙船がステージに降り立って幕を開けた。宇宙をモチーフにしたミュージシャンやダンサーが、ファンクを披露しようと全力を注いで繰り広げるダンス・パーティだ。

パーラメント／ファンカデリックの言葉遊びも、これまた興味をそそる。ファンクという言葉すら、二重の意味を持っていた。「音楽とは楽器で作るものではなく、楽器で捕まえるもの。Ｐファンクはそう信じていたようです。まるで、ビッグバンで余った残留エネルギーとして、ファンクが存在するかのように」と、「理解できるか？　Ｐファンクの宇宙論[5]（Can You Get to That? The Cosmology of P-Funk）」の筆者であるスコット・ハッカーは語っている。

「彼らは二重表現や皮肉の効いたメタファーを多用し、言うことのほとんどを反語にしていました。この多義的な言葉遊びは、機知に富んだジョークや新しいスラングを生み出しましたが、これは五感に対する言葉の攻撃で、見かけどおりのものなどないことを示唆していました。上のものは下、熱いものは冷たい……新たなスラングはどれも、注意深いリスナーにさりげなく物事の真実を疑うよう促していたのです。ジョージ・クリントンの時代より前、スラングはジャズの世界から生まれていました」とレオン・Qは語る。

マザーシップというメタファーは、R&Bとヒップホップの楽曲で広く使われている。エリカ・バドゥは、「マザーシップはあなたを救えない」と〈On & On〉(一九九七)で歌った。アウトキャストのアルバム『ATLiens』は、Pファンクのアルバム・ジャケットのイメージをヒントにしていた。ドクター・ドレーをはじめとする西海岸のアーティストが、Gファンク(八〇年代末にカリフォルニアで生まれたヒップホップのサブジャンル)で過去のファンク・トラックをサンプリングすると、これがヒップホップ・ミュージックを再定義し、何百万ドルもの大金を生み出した。

ブラック・アーク

リー・"スクラッチ"・ペリーは、レゲエ界を代表するプロデューサー兼ミキサーだ。レゲエに加えて、後にダブのサウンドを確立した人物でもある。一九六八年にレコーディングされたシングル『People Funny Boy』で、赤ん坊の泣き声を使ったサンプリングをいち早く行い、レゲエ・サウンドを決定づけた。彼の人生を追ったドキュメンタリー『アプセッター（The Upsetter）』（二〇〇八）によれば、彼はジャマイカの片田舎でつるはしを振って岩を叩く労働者の動きを再解釈するために、レゲエ・サウンドを作ったという。

一九七〇年代半ば、ペリーは二つのテープ・プレーヤーで同じ音を再生してそれを録音し、同じ音を重ねることで、ダブ・サウンドを生み出した。ダブ・クラシックの『Disco Devil』は、これまでに使われたことのない多重録音やアンビエント・サウンドを駆使している。ペリーのユニークなプロダクション技術は、今日のモダン・レゲエとそのサブジャンルの基礎となっている。一九七三年には、自身のプロダクション・スタジオ、ブラック・アークを設立し、ボブ・マーリー＆ザ・ウェイラーズ、マックス・ロメオ、コンゴスなどをプロデュース。ペリーがプロデュースした楽曲は、愛と平和と革命の美徳を広めた。その後、一九九〇年代から二〇〇〇年代にかけては、イギリスのパンク、ロック、スカのバンドとコラボした。

トラックの研究

サン・ラー、ジョージ・クリントン、リー・〝スクラッチ〟・ペリーは、音楽ジャンルだけでなく、サウンドに対する技術的なアプローチを考察する音楽批評にも影響を与えた。

「ファンク・ミュージックは、アフロフューチャリズムを説明するのにうってつけです」と、ギョーム・デュピは語る。彼はフランス生まれのミュージシャンで、博士課程でファンクとクリントンについての音楽論文を書いた。フランスのジャズ・シーンに浸りきっていた彼は、ファンクの構造に興味をそそられたのだ。

ファンクで繰り返されるフレーズと、ヒップホップのなかに組み込まれたサンプリングについて、彼は「機械と人間が邂逅する二重性」として比較している。「ヒップホップのサンプリングと似ています。サンプルを取り込み、何度も何度も繰り返すのです。ファンクの楽曲では、あるフレーズを取り込んだら、それを楽器で三〇分、そして四時間と繰り返し演奏します。ファンクの楽曲の多くは、同じ構造をしています。同じドラムビートに、わずかなヴァリエーションが入っているだけ。それでも、ファンクにおける反復の概念は機械的です」

　デュピは続ける。「グルーヴという概念を機械で再現することはできません。同じサンプルを繰り返しても、それを楽器で演奏した場合は同じ結果にはならないのです。機械と人間が保つこのバランスは、まるでSFのようです。機械で再生できるサンプルを楽器で繰り返すのは、非常に特殊で再現が難しい音になるからです。ブーツィー・コリンズが弾くベースは、ソウルやジャズ、ロックとは違います。機械がサンプルを再生しているようなものですが、ごく微小なヴァリエーションがあり、まったく違う雰囲気になります」

「彼らは機械で再現できないものを作っています。本来ならば、機械で再現できるはずです。機械はサンプルを取り入れて再生しますが、それでも楽器で演奏したものは結果が違うのです」とデュピは言う。サン・ラーは世界的な名声を博したものの、ポップ・チャートにヒットを送り込むことはなかった。一方、クリントンのファンクは、新たな音楽ジャンルを作り、商業的な成功も収めた。

「彼がああいったコンセプトを語りながら、あそこまで成功できたことに驚いています」とニコール・ミッチェルは語っている。

エレクトリック・ブーガルー

一九七〇年代のファンクや、それ以前のジャズ、ブルースのシーンで活躍したミュージシャンの多くは、シンセサイザーなどの電子楽器を試してはいたものの、ディスコのファンではなく、電子機器をベースにした音楽への移行を快く思ってはいなかった。この変化を受けて、ライターのネルソン・ジョージは、一九八〇年代後半以降を「ポスト・ソウル」時代と称した。

一九八〇年代、ニューヨークの初期ヒップホップを特徴づけたスクラッチ、サンプリング、ブレイクビーツが流行したことに加えて、シカゴ、デトロイト、ボルチモアの黒人居住区(ブラック・ネイバーフッド)ではヨーロッパ的なビートマシンで作られたハウスとテクノのビートが登場したが、これらは賞賛と同時に批判を浴びた。レコードプレーヤーを楽器として利用し、孤立したビートに声を載せるという音楽の構造自体は新鮮だったが、音楽シーンの有力者たちからは厳しい非難を受けたのだ。

しかし、アフロフューチャリストで音楽ライターのコドウォ・エシュンは、電子音楽をソウルやファンクの死と捉えていない。このように機械の時代に移行することで、人間はより深い音楽経験ができるようになる、と考えている。「サイバーカルトを批判する人びとがいまだに集まっている場所では、九九・九パーセントの人びとが、テクノロジーのせいで、人間の感情が肉体から離脱してしまったと嘆いていることだろう」とエシュンは記している。「しかし、機械は人間を感情から切り離すものではなく、むしろその逆なのだ。電子楽器は、二〇世紀でかつてないほど幅広い情緒のスペクトルに沿って、より強い感情を呼び起こしてくれる[6]」

エシュンが紹介したのは、電子音楽の出現によって、サウンドと音楽の新たな空間が生まれたという考えだ。電子音楽は、ジャズやR&Bのシンセサイザー使用から始まり、やがてハウスのパルス・エフェクトから、デトロイト・テクノ、ヒップホップのターンテーブリズムへと広がっていった。電子音楽は過去からの継続というよりも、未来の音楽の始まりと言えるだろう。黒人アーティストの音楽は、歴史的・伝記的な文脈で書かれる傾向があるとエシュンは論じているが、音楽における電子革命は、まったく新しいサウンドやアイディアを含んでいる。エシュンはこの新しい電子音楽を「エイリアン・ミュージック」と呼んでいる。

エシュンは著書『太陽よりも輝かしく(More Brilliant Than the Sun)』(一九九九)のなかで、「トリッキーと、あなたがブラック・ミュージックの限界だと考えていたものとの距離。アンダーグラウンド・レジスタンスと、あなたがブラック・ミュージックだと思っていたものとの差異」とエイリアン・ミュージックを形容している。[7] これらのサウンドに言葉はない。また、平たく噛み砕いた言葉では、電子楽器と、それが存在する空間の説明は十分にできない。ドラムマシーンはドラムを模倣しているわけではなく、パターンを再配列するビートの合成装置であると、エシュンは主張している。

エシュンは、ヒップホップの骨格であるブレイクビートをモーション・キャプチャになぞらえ、「彼らはファンクのエンジンからビートを切り離すことで、常にそこにあったビートを掴み、そのビートを繰り返すことができるよう、レコードとして実体化した」と記している。やがてブレイクビ

フライング・ロータス『Until the Quiet Comes』

ーツのヴァリエーション（つまりヒップホップ）がメインストリームを支配し、ヒップホップの歴史は、ジェームス・ブラウンやそれ以前の口頭伝承のように、ソウルの音楽的伝統に加わることになる。

フライング・ロータスも、そんなアーティストの一人だ。スティーヴン・エリソンという名で生まれた彼の祖母はソングライターのマリリン・マクロード（ダイアナ・ロスのディスコ・クラシック〈Love Hangover〉（一九七六）の作者）、大叔母はジョン・コルトレーンの妻でジャズ・アーティストのアリス・コルトレーンだ。音楽界のエリートを親類に持ったフライング・ロータスは、電子音楽をベースに、アンビエントかつエモーショナルな音楽を作っている。ターンテーブル、サンプラー、ドラムマシン、キーボードを駆使して作られる異世界的なリズムには、ジャズの要素も感じられる。また、ヴォーカルをほとんど入れず、完全にデジタルな音楽空間を創造している点でも異彩を放っている。電子音楽のなかには、他のサウンドや楽器を真似ようとするものもあるが、フライング・ロータスの『1983』（二〇〇六）から『Until the Quiet Comes』（二〇一二）までのアルバムは、デジタルのダイナミクスのみに頼り、新たな様式で音楽を掘り下げる方法を提示している。

スペース・イズ・ア・プレイス

宇宙（スペース）のメタファーを使うアフロフューチャリストは多いが、「スペース」という言葉自体は、ユニークなサウンドを根づかせるために、新しい場所（スペース）を作ることを意味する場合も多い。ドレクシアは、ジェイムズ・スティンソンとジェラルド・ドナルドからなるデトロイトのデュオで、アンダーグラウンドなテクノ・サウンドにちなんだ神話を創作した。サン・ラーとジョージ・クリントンの音楽的宇宙論というコンセプトを借用すると、「ドレクシア人」という新たな神話を作り出したのだ。ドレクシアは水中の国家で、ドレクシア人は大西洋奴隷貿易で海に投げ出されたアフリカ人女性の子孫である。公の場では覆面で顔を隠していた二人は、〈Hydro Theory〉（一九九二）、〈Andreaen Sand Dunes〉（一九九九）といった曲で流麗なサウンドを作り出し、テクノのパイオニアとなった。

DJスプーキーは長年のあいだ、音楽制作のプロセスに魅了され、そのスキルをマルチメディアのプレゼンに取り入れることも多かった。評判を博したショウケース『国民の再創生（Rebirth of a Nation）』では、『國民の創生』と自身のターンテーブルをシンクロさせている。聴覚に訴えるサウンドとミックスを用いて、近代的なテクノロジーと人種差別的なイメージで知られる同映画をライヴでリミックスしたのだ。また、近年のDJスプーキーは、アプリを作り、そのアプリを使ったライヴDJや音楽制作にも挑戦している。最新プロジェクト「テラ・ノヴァ（Terra Nova: Sinfonia Antarctica）」（二〇〇九初演）では、ポータブル・スタジオを携えて南極に赴き、氷の音響特性を捉え、南極の環境問題をテーマにした七〇分の組曲を作った。

DJスプーキーのインスピレーションは、イギリス人コンポーザーのレイフ・ヴォーン・ウィリアムズが一九五二年に作曲した〈Sinfonia Antartica〉（AntarcticaよりもCがひとつ少ない）だ。ウィリアムズが未訪の大陸に捧げた曲に、スプーキーはさらに凍てつくような現実味を加えている。「あの南極という環境をサウンドとして抽出したと考えてみてほしい——一九四九年にヴォーンが曲を書いていた時には、メタファーでしか表現できなかったことだ」とスプーキーは記している。

ソニック・オーケストラ

テクノロジーを音楽に使うのは、コンピューターの画面に向きあって制作するだけにとどまらない。ライヴ演奏の場でも、テクノロジーが活用されている。

ニコール・ミッチェルは、フルート奏者／作曲家として高い評価を得ているアフロフューチャリストで、SF作家のオクテイヴィア・E・バトラーとジャズ・パイオニアのサン・ラーから影響を

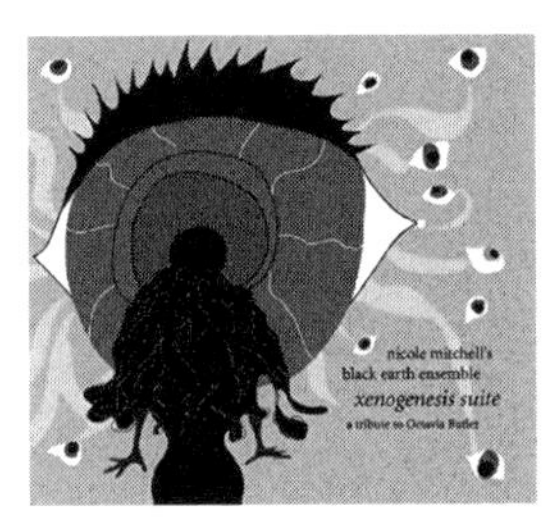

ニコール・ミッチェル『Xenogenesis Suite: A Tribute to Octavia Butler』

受けてきた。SF作家と画家を両親に持つ彼女は、「子どもの頃、別の惑星に日が昇る絵を壁に貼っていた」そうだ。彼女がジャズのインプロヴィゼーションを学んだのは大学時代だ。「インプロヴィゼーションを学んだ時、私は道に飛び出して、通り過ぎる人に合わせて演奏したいと思いました」と彼女は語っている。

彼女はその後、ブラック・アース・アンサンブルを指揮し、AACM初の女性会長となると、音楽を癒しに使う方法や、先住民族の楽器をジャズに取り入れる方法を学んだ。彼女がリリースしたアルバム『Xenogenesis Suite: A Tribute to Octavia Butler』は、二〇一〇年にチェンバー・ミュージック・アメリカの「ニュー・ジャズ・ワークス」というプログラムの依頼によって制作されたものだ。「二〇〇六年のブラック・ライターズ・カンファレンスで「バトラーに」インタヴューする機会がありました。彼女の作品をテーマに音楽を作ったら、素晴らしいんじゃないかって思いました。私はコラボしたかったんです」とミッチェルは語っている。しかし、ミッチェルが提案書を郵送した日に、バトラーはこの世を去った。

「何があろうと、このプロジェクトを絶対に実現しようと思いました」とミッチェル。バトラーに会ったことで、ソング・ライティングのスタイルが変化した。ミッチェルはシンガーに言葉なしで歌わせ、音階を超えたサウンドを思い描いた。

「普通の楽譜を書くこともできますが、この作品では、ミュージシャンから本物の表現を引き出すために、グラフィック・スコアを書きました。一音ずつすべてを書き示したくなかったのです。伝統的な記譜法だけでなく、絵や詩も使って、私の求める音を表現しました」。長い付き合いのミュージシャンが大半だったが、それでもこのアプローチは「私が求める音を出すために、ミュージシャンが直感に逆らう」ことも多かったそうだ。

「鳥のさえずりのような音をサックス奏者に吹いてもらいたい場合、小鳥のさえずりを音符に書き出して、ミュージシャンにその超高音を読み込んでもらうとしたら、スムーズなサウンドにはなりません。そこで私は、私が求めているものを絵や図にして渡しました。ミュージシャンともっとも効率的にやり取りする方法を見つけることが大切で、時には楽譜から離れることも必要なのです」

ギターの啓示

ギタリストのモーガン・クラフトは、ミネソタ州で生まれた。ヘヴィメタルとハードロックを聴いて育ち、リヴィング・カラーのよう一九九〇年代初頭のブラック・ロック・バンドに惹かれていた。「〔リヴィング・カラーのギタリスト〕ヴァーノン・リードは太陽で、僕の世界は彼の周りを回っていました」と彼はおどける。しかし、グレッグ・テイトが執筆した「スター・ブラック・ライズ（Star Black Rise）」がクラフトにアフロフューチャリズムの概念を紹介し、革新を切望していた彼に声を与えた。

　クラフトはＡＡＣＭと現代音楽のテクノロジーを挙げながら、すでに自分には合わなくなった枠組みを維持するために、自らを抑えつけているアーティストがいる気がすると語っている。「今、ブラック・ミュージックという名で僕たちに押しつけられている音楽と、その音楽が入っている枠組みを見てみると、僕たちはその枠組みからとっくにはみ出していると思わざるをえません。未来的なブラック・ミュージックが、僕たちのあらゆる可能性を含んでいると考えるのは自然なことだと思います。僕たちを未来へと導いてくれるものが何もなければ、僕たちはどこへ向かうというのでしょう？　もうブルースに戻ることはできません。今、僕たちは一〇〇万画素のカメラを持っているんです。ブルースが生まれた頃は、ギターと一本の弦があるだけでした。僕たちは、未来志向（フューチャリズム）にこだわらなければなりません」

　クラフトは現在、ターンテーブリストの妻とイタリアに住んでいる。今は「音の壁を破る」ことを探求しているという。「ポップやロックといった西洋音楽の場合、音楽の枠組みはクロマティック・スケールの十二音に基づいています。この十二音で、たくさんの名曲ができました。でも、これがすべてなのでしょうか？　例えば、僕がスプーンを落としたら、その音は十二音に当てはまらないかもしれません。それでは、私がそのスプーンのサウンドを作るとしたら？　どんなサウンドでも、そこから音楽を作ることができるのです」と彼は語る。クラフトは、マヘリア・ジャクソンをはじめとする著名なブルース・ミュージシャンは、「ブルーノート」〔半音下がった三度、五度、七度の音〕を使っていたことに触れながら、私たちが探求していない音は多いと話す。

「クロマティック・スケールの十二音から生まれた素晴らしい音楽を考えてみましょう。僕たちが現在愛している音楽はどれも、十二音からできています。十二音をなくせと言っているわけではありません。僕は音楽の過去も未来も愛しています。しかし、音楽に関心を寄せるミュージシャンとしては、十二音を超えたところに何がある？　と問いかけたいのです」

ジミ・ヘンドリックスがギターのサウンドにハウリングの音を使用したことは、アフロフューチャリズムの文脈では、新しいサウンドを使用したと考えられる。「大きな音のエレクトリック・ギターを持っていれば、とんでもない音が出るでしょう」とクラフトは言う。「ジミ・ヘンドリックスは、これをフィードバック奏法〔エレキ・ギターをアンプに近づけることで弦を共鳴させノイズを発生させる演奏法〕でやりました。音符という考えではなく、音符を超えたところに音があるのです。学校では、クロマティック・スケールに基づいたAメジャーやCメジャーといったコード理論を習いますが、厳密に言えばこれらは数字です。つまり、音楽は数学だと言っているのです。でも僕が思うに、音楽を聴いている時に三角法なんて考えてはいない。ただ音楽を感じているだけです。そこで気づきました。

音楽は数学ではない、サウンドなのだと」。しかし果たして、私たちがまだ活用していないサウンドが眠る、知られざる音楽の世界があるのだろうか？

「これは目に見えない芸術様式です。聴覚的なものです。サウンドに関するものです。それが聴覚的で情緒的ならば、そのサウンドに表現を任せられないでしょうか？　ジミのようにギターを弾く代わりに、パン切りナイフで弦を爪弾いたり、ギターを床に置いて踏んでみたり。突飛なサウンドはいくらでも出せるでしょうが、それで何かを伝えることはできるでしょうか？　新しいサウンドで何かを伝えることこそ、未来的な発明の課題です」

アンドロイドの反乱

ジャネール・モネイは、現代の音楽的パラドックスだ。カンザス州生まれの彼女は、美しくセットした一九五〇年代風のポンパドールヘアにタイトなタキシードを合わせ、フューチャリスティックなサウンドを作り出す。ロマンスを求めてやまないアンドロイドと、タイムトラヴェルのモチーフがふんだんに盛り込まれた音楽だ。彼女を発掘したのは、アウトキャストのビッグ・ボーイ。アフロフューチャリストの仲介役とも言える彼は、ヒップホップ界最高のマーケターと言われるバッド・ボーイ・レコードのショーン・コムズにモネイを紹介する。モネイの音楽、スタイル、激しいダンスは、ジェームス・ブラウン、スタンコニア〔アウトキャストのスタジオ名で、グループ四枚目のアルバムのタイトルでもある。スタンクはファンキーと同義〕、ビッグバンド時代のデューク・エリントン、感動的な音楽を作った歴代の巨匠たちを彷彿とさせる。衝撃と畏怖を引き起こす彼女の振舞いと男性的な外見は、グレイス・ジョーンズのようだ。彼女のパワフルなヴォーカルは、大物ジャズ・シンガーの記憶を呼び起こす。

彼女の音楽には、物語がある。

モネイのオルター・エゴであるシンディ・メイウェザーは、シルヴァー・メタリックの体をしたアンドロイド。「メトロポリス市民をグレイト・ディヴァイドから解放する」ために送り込まれた。グレイト・ディヴァイドとは、タイムトラヴェルを利用し、時代を超えて自由と愛を抑圧する秘密結社だ。救世主のアンドロイド、シンディがメトロポリスに帰還すれば、アンドロイド社会は自由になる。この壮大な宇宙物語は、愛、革命、ヒロイズム、さらにはアンドロイドの蜂起と自由を求める戦い、最後に訪れる平和を描いている。

メトロポリスはさまざまな時代、サウンド、レイヤー、ストーリーを織り交ぜており、サウンドによるタイムトラヴェルのような趣だ。音楽の神話のなかにも、神話が入っている。モネイは自分の音楽が「犬の宮殿」で作られていると語るが、その場所について口外することはできないという。

モネイもまた、ワンダランド・アークオーケストラによる伝統的なオーケストラと、コンピューターで生成された躍動感のあるビートを使っている。

彼女の音楽には、メタファーやアレンジが幾重にも層をなしているが、それが理解されない場合に備えて、モネイはコンサートで「アンドロイドの十戒」を配布している。Pファンク的な仰々しさで書かれた十戒は、コンサートを観に来た人びとに、音楽を体験する方法を教示している。

第四戒　あなたが聴く曲は電気を帯びていることであることにご留意ください。この音楽を体験しながら、電子機器に触れたり、水を飲んだり、人に触れたりする際にはご注意を。通信機器の融解のほか、ぎっくり腰、大汗をかく、付け毛が外れる、腕の関節が外れる、顎に衝撃を受ける、お尻が感電するなどの怪我、音楽によって引き起こされたその他の弊害や機能不全について、ワンダランド・アート・ソサエティは、一切責任を負いかねます。

第六戒　芸術、人種、ジェンダー、文化、重力に対する期待を捨ててください。

第七戒　ショウの前には、アークアンドロイド・エモーション・ピクチャーのインスピレーションを受けた人物になりきって、施設内を自由に散策してください。サルバドール・ダリ、ウォルト・ディズニー、アウトキャスト、スティーヴィー・ワンダー、オクテイヴィア・E・バトラー、デヴィッド・ボウイ、アンディ・ウォーホル、ジョン・ウィリアムズ（このなかからひとつを選んでください）。

第九戒　ショウが終わるまでに、あなたは変化しなければなりません。その変化とは、目の色、考えかた、気分、身長を含みますが、この限りではありません。[8]

懐中電灯や宇宙の王冠をつけていたサン・ラーや、カラフルな髪の毛と宇宙服で人目を引いたジョージ・クリントンといったアフロフューチャリスティックな先達と同じように、モネイも糊のきいたシャツ、ポンパドール、タイトなタキシード姿で、トレードマークと言えるスタイルを有していた。彼女は二〇一二年に開催された「ブラック・ガールズ・ロック・アワード」（二〇〇六年から行われている若い黒人女性を対象とした音楽賞）の授賞式で、この衣装は制服を着ていた労働者階級の両親への敬意を表したものだと語っている。

Janelle Monae『The Electric Lady』

アルバム『Electric Lady』（二〇一三）収録の〈Q.U.E.E.N.〉には、同じくアフロフューチャリストのエリカ・バドゥが客演している。同曲のヴィデオで、二人は未来の博物館に飾られている。かつて音楽を解放運動として使った反逆者たちの展示会だ。懐かしいファンク調のこの曲は、エキセントリックで独立心に溢れた世界の女性たちを讃えるもので、自分らしく生きているがゆえに変人（フリークス）扱いされている女性たちに捧げられている。

　モネイはアークオーケストラ、サン・ラーはアーケストラを擁していた。サン・ラーは地球人に愛しかたを教えようと、土星からやって来た。シンディ・メイウェザーはアンドロイドの仲間を解放するため、メトロポリスに戻らなければならない。サン・ラーはアフリカ的なモチーフを使って宇宙とつながり、モネイはビッグバンド・ジャズ隆盛の五〇年代（サン・ラーが宇宙理論を育んだ時代）に高速移動している。なお、モネイのメンターのなかには、アウトキャストもいる。アンドレ３０００（西暦三〇〇〇年の意）と先述のビッグ・ボーイからなる型破りなヒップホップ・デュオだ。アウトキャストはＰファンクのテーマからそのクリエイティヴなスタイルを取り入れている。その代表例となるのが、ファンクに敬意を表したスタンコニアな音楽だ。

　マザーシップは今もなお宇宙を飛んでいる。

現代のマーメイド／マーマンをめぐるアフリカ的宇宙

アフロフューチャリズムと宇宙神話

The African Cosmos for Modern Mermaids (Mermen)

マリドマ・パトリース・ソメイ博士は、学者であると同時に、ダガラ族の名高いシャーマンでもある。ダガラ族は、ガーナとブルキナ・ファソにあるコミュニティに住み、古くからの習わしを守り続けている。ソメイは、自身がシャーマンになる過程を記録した一九九四年の著作『水と精霊をめぐって――アフリカのシャーマン生活における儀式、魔術、イニシエーション（Of Water and the Spirit: Ritual, Magic, and Initiation in the Life of an African Shaman）』の著者としてもっともよく知られている。彼はダガラ族の長老から学び、そこで得た知識と西洋の教育の釣り合いを取りながら、その奥深い経験を記した。ソメイは、西洋とは相反する学びの道を描いている。彼によれば、ダガラ族には「超自然なもの」を表す言葉がないという。「多くの先住民族と同様、私たちにとって超自然現象は日常生活の一部だ」と彼は書いている。また、ダガラ族は現実と想像の境界を定めず、現実を作り出す思考の力を重視しているという。[1]

ダガラ族には、フィクションという言葉もない。好奇心に駆られて、ソメイはある実験をした。一九九六年、シャーマンの長老たちに『スタートレック』（一九七九）を見せたのだ。長老たちは映画を観て、それが世界の別の場所で起こっている日常だと思っていた。「長老たちは、西洋の未来像を描いた『スタートレック』を違和感なく受け入れていた。なぜなら彼らは、超自然的な存在（スポック）、高速移動、テレポーテーションなどを信じており、西洋人が未来の一部として思い描いている奇跡は、現在だと思っていたからだ。皮肉にも西洋人は、先住民の世界を原始的で古めかしいとものだと考えている。西洋人が、我々の長老のように『古めかしく』なることを学べたら、どんなに素晴らしいことだろう?」[2]と彼は本のなかで振り返っている。しかし長老たちはまた、魔法を使うならば『スタートレック』の宇宙船や服装は少々煩わしいだろうとも感じていた。意識の力を使って旅をすれば、もっと簡単なのにと。

歴史や科学、その他の分野における世界的な知識のなかに、アフリカの貢献はない。ぽっかりと開いたその穴はあまりに大きく、地球の文化的構成のなかで、器官がひとつ欠けているかのように思えるほどだ。このように知識を厳粛に区分けした状態で、人類は自らを知ることができるのだろうか? 太古の知識を取り戻すことはできるだろうか? トラウマを消し去ることはできるのだろうか? こうした空白が生じた理由や経緯は歴史に刻まれているが、この明らかな空白のために、多くのアフロリューチャリストは、完全な歴史を求めて果てしない旅を続け、アフリカ大陸の神話、スピリチュアリティ、芸術に目を向けるようになった。

アフロフューチャリスティックなアーティストは、アフリカの宇宙論を自身の芸術、音楽、文学のなかで引用するが、なかでもエジプトの神々、ドゴン族の神話、水の神話、ヨルバ族のオリシャ〔西アフリカのヨルバ族が生み出した神話に登場する神々のこと。ブラジルなどアフリカ外での信仰がある〕の人気は高い。アース・ウィンド&ファイアーの衣装から、リー・〝スクラッチ〟・ペリーのブラック・アーク、さらにはマザーシップのアイディアにいたるまで、ドゴン族とシリウス星のつながりや、古代エジプト人の不可思議なテクノロジーが、アフロフューチャリストの伝説、芸術、パフォーマンスの基盤となっている。

こうした文化が引用されるのは、神話にSF的な要素や神秘思想があるためだ。とくにエジプト人とドゴン族は、世界でもっとも記録に残されたアフリカの英知である。アメリカ大陸で奴隷化されたアフリカ文化にとって、ヨルバ族のオリシャやアフリカの水神は重要な存在で、今日もアフリカン・ディアスポラやアフリカ大陸で広く知られている。アフロフューチャリストは、アフリカや世界に存在する古代の知恵に興味を掻き立てられ、その美的感覚は、奥義を学ぶ者たちを魅了する。シャーマニズム、形而上学、ヒンドゥー教、仏教、アフリカの伝統的な宗教、神秘主義的なキリスト教、スーフィズム、ネイティヴ・アメリカンのスピリチュアリティ、占星術、武術の神話といった古代の知恵は、アフリカやアフリカン・ディアスポラの視点を通じて伝えられる。

天体鑑賞は、人気の娯楽だ。

「アフロフューチャリズムとは、太古の習わしを調査・回復し、六〇年代から現在にいたるまでのアーティストが、いかにこうした習わしを使って未来を語っているかを研究することです」と、学者でパフォーマンス・アーティストのD・デネンゲ・アクペムは語っている。

古代エジプトとヌビア

アフロフューチャリストは、自身の作品をはるか昔の黄金時代と好んで結びつけるが、エジプト人やヌビア人ほど、最高峰の科学と秘儀を融合した古代文化は存在しない。古代世界におけるエジプトの君臨ぶりと、ヌビアの影響力は、褐色の肌を持つ人びとの文化が高度な社会を支配し、世界の知識を形成していたことを示す証左である。

エジプトの神にちなんだ名前をつけたり、エジプト風の衣裳を身につけたりと、現代および未来を見据えたブラック・カルチャーでは、古代エジプトとヌビアの偉大さを再解釈するために、あらゆる手段が尽くされている。アンク〔エジプト十字架〕、ファラオの王冠、蛇は、ファラオの美学だ。神や女神はアフロフューチャリスティックな芸術に再登場し、エジプトの宇宙論を表現している。この宇宙論は、過去のものでありながら、同時に未来のものでもある。

古代エジプトが誇るラー、イシス、ホルス、セト、天空の女神ヌトなどは、神話のインスピレーションとして一般的である。サン・ラーはエジプトの神を名乗った。エリカ・バドゥは、エジプトのアンク〔永遠の命と豊穣の象徴〕をミュージック・ヴィデオやコンサートで身につけて有名になると、アフリカ風ファッションの再流行のきっかけを作り、量子物理学への好奇心をそそった。

しかし、エジプトの栄光に惹かれているのは、アフロフューチャリストだけではない。エジプトの『死者の書』、ピラミッドやスフィンクスの謎、クレオパトラのロマンスに満ちた物語は、現代の偉大な芸術、映画、文学にインスピレーションを与えてきた。人類学者は古代エジプト人の謎を解明し続けているが、彼らの神話、建築、宗教、文字に隠された真の意味は、いまだ謎に包まれたままである。そしてこれが、宇宙に向かってジグザグに進む、思弁的な歴史と理論を生み出している。古代エジプトは、憶測の宝庫だ。作家たちは、ピラミッドは異世界へと続く天空の扉だと考えてきた。人間ではなくエイリアンがピラミッドを作ったという説もあるが、これは「精巧な技術を駆使する褐色の人びとを想像できない」という、人種差別的な考えをはらんでいる。また、エジプト人は複数の異世界と特別な繋がりを持っていたという憶測もある。大ヒット映画『プロメテウス』(二〇一二)でも、象形文字が古代異星人の言語からの派生物であることを示唆している。

一七八七年、フランスの学者で『帝国の廃墟(Ruins of Empires)』の著者であるコンスタンティン・ヴォルニーは、エジプト文化の素晴らしさをはじめ、エジプト文化が変化していく世界に与える影響や「黒い肌をした」創造者たちの知性を伝え、読者を歓喜させた。

古代エジプトの図書館や秘密結社は、ピタゴラスとプラトンなど、エジプトで学んだ哲学者の羨望を集めた。エジプト文化は、どのようにして生まれたのだろうか? どんな秘密を持っていたのだろうか? その秘密の教えとは? 古代エジプトの文化と神話は、ダークマターと同じように、大いなる彼方へと繫がるパイプとなっている。

アフロフューチャリズムは、エジプトをアフリカン・ディアスポラの歴史の中心に位置づけている。エジプトをアフリカの土地や人びとから切り離しがちな大衆文化の傾向に対抗する意見である。アフロフューチャリストのあいだで古代エジプトが人気になっている理由について、「多くの人びとがエジプトに固執するのは、アフリカ史における頂点だからです」と、コミック・イラストレーターのアフア・リチャードソンは語る。「ピラミッド自体が、世界の大きな謎ですから」

リチャードソンは、科学者一家で育ったアーティストだ。フルート奏者としてキャリアをスタートし、シーラ・Eやパーラメント／ファンカデリックなどのバックを務めたが、まもなくその芸術的な手腕を買われて、ノナ・ヘンドリックスのアルバム・ジャケットを手がけた。リチャードソンは、古代社会を舞台にした思弁小説のファンで、エジプトの神秘学校やテクノロジーをテーマにした新しいコミックを制作中だ。しかし、アフロフューチャリズムでは、エジプト・モチーフの人気があまりに高く、使い古された印象があるため、新たなひねりを加えるつもりだという。「未来的なイメージにシャーマニズムを組み合わせたい」と彼女は語っている。

ファンタジーの背景として、エジプト文化の現実が利用されることもある。ファンタジー作家のN・K・ジェミシンの『キリング・ムーン（The Killing Moon）』（二〇一二）は、エジプト社会にヒントを得て描かれた、高位聖職者の物語だ。同書のなかで、夢の女神の祭司たちは夢を収穫し、夢を見ている者たちを死後の世界へと導く。

エジプトの空を見上げて

エジプトの天文学がアフリカ全土に広まったのは、エジプトがアフリカの角やサハラ以南を通る広範な交易路を持っていたためでもある。西アフリカのティンブクトゥ写本には、エジプトの影響力が記されており、西アフリカの美術品や建築物には、占星術の知識がいたるところに見受けられる。

言い伝えを抜きにしても、ギザの大ピラミッドをはじめとするピラミッドに、天空との繋がりがあることは事実である。ピラミッドは星座の動きや夏至・冬至の日の出、コンパスの基点に合わせて配置された。シリウス星は、年に一度のナイル川氾濫と結びついていた。エジプト人は非常に高度な天文学を理解しており、天文学は日常生活に浸透していた。

古代ヌビアの文化は、エジプトと共生関係にある。共通のファラオ、神、歴史も多く、さまざまな点で姉妹文化と言えるだろう。ヌビアはエジプトよりも前に存在していた可能性がある。現在のエジプトのすぐ南、現在のスーザンに位置するヌビアは、優れた建築物と豊かな宇宙論でも知られていた。残念ながら、数十年前にアスワン・ハイ・ダムが建設されたために、古代ヌビアの場所や遺跡の多くが水没してしまった。現在、その大半は水に覆われている。

象徴的に、エジプトとヌビアは西洋世界を代表する古代ギリシャと古代ローマに先んじており、肩を並べる文化を持っている。

ドゴン族

ドゴン族は、何百年にもわたって西洋の学者たちを困惑させてきた。一説によれば、マリで生まれたこの民族は、三千年を遡る天文学的な神話を誇り、古代エジプト人の知恵を有していると考えられている。宇宙人が起源ともされているドゴン族の物語にインスパイアされ、数々のオルタナティヴ・ヒストリーや物語が生まれた。

ドゴン族の宇宙論によれば、シリウス星系には人魚〔マーメイド、マーマン〕に似たノンモが住んでいる。ノンモは数千年前に地球を訪れた両生類の種族だ。彼らは箱舟に乗って地球に到着し、星の叡智を伝えたという。リー・〝スクラッチ〟・ペリーのブラック・アークや、クリントンのマザーシップ神話は、この箱舟からヒントを得ている。

フランスの人類学者マルセル・グリオールとジェルメーヌ・ディテルランは、一九三〇年代から五〇年代にかけて、ドゴン族の祭司と会談を持ち、その内容を記録した。二人は、ドゴン族が望遠鏡を使うことなく、星に関する一般的な知識を得ていたことに驚いた。ドゴン族は、シリウス星に「ディジタリア（ポ・トロ）」と「ソルガム（エンメ・ヤ・トロ）」という二つの伴星があることを知っていた。ディジタリアの軌道周期は五〇年であることや、土星の環や木星の衛生についての知識も持っていた。ロバート・K・G・テンプルの『シリウスの謎（The Sirius Mystery）』は一九七七年に出版され、ドゴンの神話や知識が広まった。

科学者たちは後に、グリオールとディテルランの発見や、地球外生物に傾倒するテンプルの議論に異議を唱えた。従来の天文学的テクノロジーを持たないドゴン族の文化が、星の軌道や彼方の月についての知識を持てるはずがない、と主張したのだ。しかし、ドゴン族は早くも一三世紀には儀式を行っており、その知識を描いた美術品も残っている。

夜空でもっとも明るく輝くシリウス星は、伝説や神話のなかでも人気の高い星で、『イーリアス』や『スタートレック』、『メン・イン・ブラック』にも登場する。しかし、ドゴン族の創造神話に勝る物語は存在しない。

アーティストのコーリーン・スミスは、ドゴン族に魅了され、二〇一二年にシカゴ現代美術館で開いた個展では、ドゴン族をテーマにしたという。「私は天文研究センターで数日間かけて、シリウスという星についての文献を読みました。［科学者たちは］ドゴン族がシリウスを知っているはずがないと、一章すべてを費やして説明します。宇宙人から教えられたという説すら、進んで考慮しています」と彼女は言う。「でもそれなら、見えない星のために、なぜ七〇〇年も儀式をやっているのでしょう？」

多くのアフロフューチャリストにとって、ドゴン族の天文学は、古代世界の高度な科学的思考と能力を証明するものである。大学レベルのアフロフューチャリズム講座で、シリウスの創造的なインスピレーションについて教えているアクペムはこう語る。「ドゴン族の天文学は、アフリカの起源を意味します。西洋の発見よりも前に、アフリカに宇宙論が存在したことを示しているのです」。「AfrofuturistAffairs.com」や「FuturisticallyAncient.com」、「BlackScienceFiction.com」などのアフロフューチャリストのブロガーは、シリウスにまつわるエッセイやユーチューブ動画を投稿している。シリウスに関連した美術や物語や、銀河系に由来するメタファーは、ドゴン族に起因するものなのだ。

アフリカの人魚とマミ・ワタ

ドゴン族の言い伝えは、マミ・ワタをはじめアフリカに広がる人魚神話の起源のひとつでもある。

マミ・ワタはアフリカの水の神々で、半分は人間、半分は海洋生物だ。ドゴン族以外のマミ・ワタには、トーゴのデンスやヨルバのオロクンなどがいる。しかし、ドゴン族によれば彼らの先祖である人魚に似たノンモの物語は、エジプトを発祥としているという。「ノンモの大半は『神の掟をもたらす者』として讃えられ、敬われていました。神学的、道徳的、社会的、政治的、経済的、文化的な基盤を確立し、ナイル川の氾濫を制御するほか、生態系を調整しています。つまり、航海、漁獲、狩猟、播種などを成功させるための日を定め、掟やタブーを破った時には壊滅的な洪水による罰を与えていました」と、『マミ・ワタ――ヴェールを脱いだアフリカの古代神／女神（Mami Wata: Africa's Ancient God/dess Unveiled）』（二〇〇七）の著者で教育学修士を持つママ・ゾグベことママイシ・ヴィヴィアン・ハンター＝ヒンドリューは語る。[3]

「マミ」や「ワタ」という言葉も、エジプトが起源だ。「マ」、「ママ」は「真実と知恵」を意味し、「ワタ」は「海の水」を意味する古代エジプト語の「ウアティ」に由来する。

現代のマミ・ワタのイメージは、長い髪の女性が大半で、胴体には蛇が巻きついている。このイメージは、一九世紀のドイツ人芸術家が作ったものだが、古代エジプトの女神イシスのイメージにインスパイアされている。イシスは髪を編み込み、二匹の蛇を首にかけた姿でも描かれている（またイシスは、キリストの母であるマリアのように、子どもを抱いた母親の姿としても描かれている）。神話によると、海にいない時のマミ・ワタは、現代アフリカの都市を歩き、複数の「化身（アヴァター）」も使って街を闊歩し、信者に富を与えるという。マミ・ワタは、大西洋奴隷貿易で新世界に連れて来られたアフリカ人とも密接な関係がある。海に投げ出された奴隷女性が今は水中で暮らしているというドレクシアの神話も、マミ・ワタにヒントを得たものだ。また、グラフィック・アーティストやインスタレーション・アーティストにも人気のモチーフで、「MermaidofColor.tumblr.com」などのサイトで作品が公開されている。

アフロフューチャリストのウェブサイト「FuturisticallyAncient.com」で執筆しているブロガーのアカーは、マミ・ワタが黒人のポップ・カルチャーにも浸透していると主張する。R&Bスターのアリーヤは、〈We Need a Resolution〉(二〇〇一)のヴィデオで蛇を体に這わせ、〈Rock the Boat〉(二〇〇二)のヴィデオで海に浮かんでいるが、これらはイシス/マミ・ワタの典型的な引用だ。ティナ・ターナーが激しく歌い踊る〈Proud Mary (Rolling on the River)〉(一九七〇)も、水の女神の伝説を連想させる。

「クリーデンス・クリアウォーター・リバイバル〔CCR〕による同曲は、アイク&ティナ・ターナーがカヴァーしたことで有名だ。原曲を歌ったバンドの名前と楽曲の歌詞は、宗教的なテーマを示唆している。プラウド・メアリーは『川船の女王』で、その名前から私は聖母マリア(ヴァージン・メアリー)を思い出す。ヴァージン・メアリーは、ステラ・マリス(海の星)を語源としており、マミ・ワタやエルズリーと統合されることも多い」とアカーは記している。[4]

ノナ・ヘンドリックスとラベルは、人魚のコスチュームに魚のヒレのようなヘアスタイルで、SF的なロックを披露した。コッパーワイアで唯一の女性メンバー、メクリット・ハデロの別名は「コ・エーアイ」。彼女は電気ネットワークを泳ぐメッセンジャーの種族で、人魚でもあるというキャラクターだ。

アジーリア・バンクス『Fantasea』

ヒップホップ・アーティストのアジーリア・バンクスは、トレードマークのカラフルなロングヘアに貝殻のトップスを合わせ、ファッショナブルな人魚のモチーフを使っている。マーメイド・ボール（マーメイドのパーティ）やアクアベイブ（水の子どもたち）を活用しながら、頭の回転の速いバンクスは、〈Neptune〉や〈Atlantis〉といった楽曲を収録したミックステープ『Fantasea』（二〇一二）で、ファンタジーの理想を実現している。

バンクスは、マミ・ワタをヒントにして水をテーマにしたこのキャラクターを作ったとは公に認めていない。きっかけは、デザイナーのカール・ラガーフェルドの家に招待され、強いインパクトを残したいと思ったことだという。「単なる女性ラッパーって見かけじゃダメだと思った」と彼女は「スピン」誌に語っている。そこで彼女は髪をグリーン、ブルー、パープルに染めて登場した。「魚っぽく見えた」とは彼女の弁だ。ラップが抱える制限を蔑み、ステレオタイプから解放されたいと願う若き女性ラッパーが、古典的な水の女神に扮したという事実は、示唆に富んでいる。[5]

星の大陸

二〇一二年六月、ワシントンDCのスミソニアン協会が運営する国立アフリカ美術館は、「アフリカの宇宙――星の芸術（African Cosmos: Stellar Arts）」と題した、他に類を見ない展示を行った。これは副館長で主任キュレーターのクリスティン・マレン・クリーマーの発案によるもので、宇宙にインスピレーションを受けたアフリカの芸術作品を紹介しており、何千年にもわたる歴史を持つ作品群は、遠い文化と時代をつないだ。物心ついた頃から天体観賞に並々ならぬ興味を抱いていたクリーマーは、個人的な関心と学芸員としての仕事を組み合わせ、空からの影響を示す古代から現代までの芸術作品を集めた。どれもアフリカ人による作品だ。その奥深さと視点が大好評を博したこの展示は、足を運んだ来場者やジャーナリストにとって、目から鱗が落ちるイヴェントだった。彼らの大半は、科学に影響を受けたアフリカの芸術について考えたことすらなかったのだ。「この展示は長い準備期間を経て実現しましたが、本博物館はこれまでも知識の歴史に対するアフリカの貢献に焦点を当てた展示を行ってきました。今回は天空にまつわる知識と、その知識がいかに壮大な芸術作品の制作に影響を与えているかを紹介しています」とクリーマーは語っている。

ここで展示されたのは、天空の女神ヌートの装飾を施し、古代エジプトのミイラを覆った木製の板をはじめ、伝説的なドゴン族の彫刻、雷神シャンゴと風雷の女神オヤを讃えるヨルバ族の彫刻などだ。太陽の通り道を暗示し、たてがみを透かし細工にしたバマナ族のカモシカの紋章、タブワ族やルバ族の彫刻などもあった。

パピルスに描かれた古代ヌビアの芸術から、再利用された容器で作られた現代の「虹色の蛇（Rainbow Serpent）」にいたるまで、クリーマーがまとめた印象的な展示は、天空にまつわるアフリカ人の思想の遺産に意味を与えた。これまであまりにも蔑ろにされ、定義されることもなかった歴史である。

エル・アナツイ、アレクサンダー・〝スカンダー〟・ボゴジアン、ウィレム・ボーショフ、ガース・エラズマス、ロマール・アズメ、ギャヴィン・ジャンティス、ウィリアム・ケンドリッジ、ジュリー・メレツ、カレル・ネル、マーカス・ニュースステッター、バーコ・ウィルセナッチなど、この展示では現代の芸術家も紹介され[6]、アフリカの天文学をテーマにした、初めての大規模な展示となった。

アフリカというと、音楽と芸術など文化的な貢献が取り沙汰されがちだが、科学に対する長年の貢献や天文学な知識については理解が進んでいない、とクリーマーは言う。

彼女によれば、アフリカ人の宇宙に対する理解は、きわめて個人的なものだという。この展示で紹介された一〇〇作品は、人類、太陽、月、星、天体現象の関係を描いている。これらの作品は、宗教的なシンボルや装飾美術にとどまらず、哲学と科学が複雑に絡み合い、人生に新たな意味を与えるものだった。

伝統的に、アフリカ文化は西洋のように科学と芸術を分けて考えない。マリドマ・パトリース・ソメイ博士は、この違いに驚嘆した。「西洋の現実では、精神的なものと物質的なもの、宗教的な生活と世俗的な生活のあいだに、はっきりとした区別がある。こうした考えは、ダガラ族にとっては異質である」とソメイは記している。[7] 文化天文学とは、「もっとも広範な意味で、天空と関わる準専門家と非専門家」の研究であり、科学、芸術、知識を結びつけるという非西洋的な概念に言葉を与えるものである、とクリーマーは説明している。文化天文学者は、南北アメリカ大陸の先住民文化に重点を置いているが、今こそアフリカへの綿密な調査をすべきだ、とクリーマーは考えている。「西洋では、知識体系をそれぞれの分野に分けようとする傾向があるが、アフリカの知識体系はより広範かつ包括的である。哲学的、宗教的、科学的な概念をまとめ、全体的なアプローチで現実を理解しようとするのだ」と、クリーマーは同名の展示に関連し出版された書籍『アフリカの宇宙(African Cosmos)』(二〇一二)で記している。アフリカの芸術や科学をアフリカの視点で見ることができないために、世界の知識基盤には大きな穴が開いている、と彼女をはじめ多くの人びとが主張している。

私が本書のために取材を申し込んだとき、自分の展示がアフロフューチャリズムの議論のなかにどう収まるのか、クリーマーはきちんと理解できていなかった。そこで私は、アフロフューチャリストの多くがアフリカの神話とスピリチュアリティを作品のなかに取り込んでいる、と説明した。「アフリカの宇宙」の展示は、黒人およびアフリカの視点で芸術、哲学、そして天空の領域を織り交ぜた遺産があることを再認識させてくれる。この視点は、アフロフューチャリズムという言葉よりも前にあった。SFにインスパイアされた生命が、古代の神話や芸術のなかに存在しているのだ。「アフロフューチャリズムは、常に我々の文化の一部でした」と、ワヌリ・カヒウは「TEDxナイロビ」で語った。映画監督として数々の賞を獲得してきたカヒウは、アフリカの神話や民話にはスピリチュアリズムやSFを盛り込んでいるものが多いとし、「それは常に私たちの一部でした」と発言している。このように、アフリカとアフリカン・ディアスポラの視点とつながりながら、古代の知恵を理解することが、アフロフューチャリストの求めるものである。

文化天文学者

ジャリタ・ホルブルック博士は、アフリカの天文学史の研究に人生を捧げている。「研究者としての私の仕事は、空白を埋めること。アフリカの天文学と聞いて思い浮かぶのは、エジプト人とドゴン族のふたつだけ。私の目的は、それ以外の人びとの声を伝えることです」と彼女は言う。

実際、サハラ以南のアフリカにおける文化天文学研究に火がついたのは、グレート・ジンバブエ遺跡が天体の方向と一致しているという研究がきっかけだ。イボ族、バマナ族、サンダウェ族、ヨルバ族、ファンテ族などにも豊かな天文学文化があり、人類学者をはじめとする研究者が、その発掘と記録に力を注いでいる。

ホルブルックは、アフリカのさまざまな文化と天体との伝統的な関係を研究してきた。彼女はまた、黒人の天体物理学者の評価を高めたいと熱心に活動している。アフリカの文化天文学に興味をそそられた理由を尋ねられると、彼女は一言、「人種差別（レイシズム）」と答えた。天体物理学の教育を受けたホルブルックは、博士号取得を目指していた頃、人びとの視線や不躾な質問に苛立つようになったという。「奇妙ないじめがあります。ここは君の居場所じゃないという態度をされてしまう」と明かすホルブルックは、天文物理学の博士号を持つ黒人女性のキャリアを研究し、クリーマーとともにアフリカの文字体系を記録している。「でも、黒人が空を見てきた歴史はあるのです」

私が話を聞いた時、彼女は日食を観察するためにオーストラリアと日本を訪れた二人のアフリカ系アメリカ人天体物理学者を題材とした『黒い太陽（Black Sun）』というドキュメンタリーを撮影する資金集めをしていた。彼女はまた、文化天文学の研究と指導の傍ら、ＳＦの執筆もしている。『アストロノーツ・トライブス（The Astronaut Tribes）』シリーズは、彼女にとって初のＳＦ小説で、最近では映画化の話も持ち上がった。

ホルブルックは、沿岸部の人びとが現在いかに星を使って航海しているかを研究し、アフリカ文化天文者のキャリアを歩み始めると、北アフリカのチュニジアをはじめ、東のタンザニア、エリトリア、西のガンビア、ガーナの遺跡を調査した。星を使った航海は一般的で、「アフリカの沿岸部を歩けば、星を使って航海している人びとは簡単に見つかるはず」だという。

「今とても興味があるのは、女性と星との関係と、月を使った受胎のコントロールです」と語る彼女は、トーマス・バックリーとアルマ・ゴットリーブが編集した『血の魔法（Blood Magic）』（一九八八）という本に、月を見て自分たちの生理周期を確認していたアフリカの部族の話が載っていると話している。金星もまた、アフリカ社会の女神と繋がりがある。「西アフリカでは、マンデ族が女性をイニシエーションする儀式と金星を結びつけています。儀式の前に金星を見て、儀式をいつ始めるかを決めるのです」。二〇〇六年、ホルブルックはアフリカ文化天文学に関する初の国際会議を企画した。一週間にわたるこのイヴェントは、三月二九日の日食に合わせて開催され、世界のアフリカ文化天文学者を引き合わせた。その二年後、彼女は学者のR・テベ・メデュペとジョンソン・O・ウラマと『アフリカの文化天文学（African Cultural Astronomy）』を共同編集した。近年の知見や研究、会議自体に関する論文が収録された同書は、アフリカ文化天文学の研究を強化し、学校や大学に取り入れるための画期的な取り組みだった。研究は大陸全体に及び、文学、芸術、伝承、人類学を網羅した。ホルブルックは、アフリカ大陸の文化人類学的な研究や神話と、天空のシンボルが描かれたアフリカの文字をすべて分類したいと思っている。

しかし、学者たちはアフリカの文化天文学にまつわる知識の多くをアフリカの芸術品から得ている。ホルブルックが「アフリカの宇宙」の展示に心を躍らせた理由のひとつはここにある。「ダホメー族の鋳鉄や、木彫り、石彫りのように、半永久的に残る素材に芸術を載せれば、こうした素材で芸術品を作っている民族は、時代を超えて生き残ることができます。長持ちする素材を使っていなかったために、知られていない文化もあります」。また、アフリカの文化は概して、空に基づく農事暦と、先祖や神が天空とつながっているという創造神話を持つ、とホルブルックは語る。「彼らには、天にまつわる作品があります。人気のモチーフは天の川、金星、太陽、月です」

さらに、星座の名前に使われる動物は、その土地柄を反映している。「太平洋島の星は、ライオンやクマではなく、エイや魚の名前がついています。アフリカでは、キリン、ワイルドビースト（ウシカモシカ）、ライオン、場所によってはヒョウもいます」と彼女は言う。また、アフリカの大半は熱帯地域のために星座の配置も異なり、熱帯の天文考古学に従っているそうだ。「空の見えかたや動きが違うだけでなく、熱帯では太陽や月、星が、ある時点で真上にやって来ます。熱帯以外の場所では、星は南か北にあります。熱帯に住んでいると、天体が回転しているようには見えません。熱帯の人びとは、すべての星が同じように動くのを見ているのです」

ホルブルックは、メドゥペが指揮する「ティンブクトゥ天文プロジェクト」にも関与している。

「私たちは、アフリカにおけるイスラム教徒の天文学の翻訳に注目しています」と彼女は語る。メドゥペはアラビア語で書かれたさまざまな地域の数学と科学に差異があるかを探し、現地のアフリカ人が変更を加えていたかどうかを調べている。

しかしホルブルックは、空との歴史的・文化的な関係は、アフリカ固有のものではないと考えている。「こうした関係は、アフリカの文化に共通していますが、世界の文化でも一般的です」と彼女は付け加える。「人種差別の本質は、アフリカ人が何もしていなかったという思い込みです。そのため、アフリカ人が何かをした、他の人びとと同じことをしたとほのめかすと、地を揺るがすほどの衝撃を与えます。なぜアフリカ人は空を見上げるのかって？　そりゃあ見上げるに決まってるでしょう。自分には、こうした活動家としての役割があると感じています。だからこうしてアフリカ人が空を研究していることを発見して、騒ぎを起こしているんです」。エジプト人やドゴン族についてはよく研究されているが、ホルブルックはアフリカのさまざまな文化天文学の探求をアフロフューチャリストに勧めている。こうした情報はなかなか入手できないことは彼女も認めているものの、ソマリ族、マンデ諸族（ドゴン族が属する）、ダホメー族、イボ族も興味深い宇宙論を持っているという。

「やるべきことは、まだまだあります」

作家は疑問から着想を得て、本を書くことで答えを得る、とウンベルト・エーコは記している。創造性の本質をシンプルに考察したこの言葉は、アフロフューチャリストにも当てはまる。神話には、語り継がれてきた内容とは別に付加的な意味があるはずだ。この考えに駆り立てられ、アフロフューチャリストは神話創造やタイムトラヴェルのテーマを使い、古代の知恵を讃えている。ギリシャ神話、ローマ神話、北欧神話が西洋の芸術、文学、エンターテインメント、建築を補強しているように、アフロフューチャリストも自分たちなりの古代神話を渇望しているのだ。

古代アフリカ社会を形成した神話や信仰は、史上最大の謎である。こうした社会の記録のほとんどは、侵略してきた社会によって意図的に破壊されてしまった。ヌビア族の故郷や遺跡の上にはダムが建設され、ナポレオンはアレキサンドリアの歴史的な図書館を潰したが、こうした行為は氷山の一角にすぎない。エジプトがローマ、そしてアラブに占領されると、古代エジプト語は禁止され、象形文字の翻訳すら世界から消えてしまった。言語学者たちの苦心の末、これが復元されたのは、ここ数世紀のことである。しかし、エジプトとヌビアは時の試練に耐えた。一方で、過去に繁栄した古代社会の多くは永久に失われてしまった。運が良ければ、古代社会の芸術の一部は時代の危機を乗り越えられたが、どれだけの知恵が歴史の瓦礫のなかに消えていったことだろう？　どのような物語や英雄が、時の風のなかに消えていったのだろう？　過去の文化から生まれた物語は、人間の本質や起源、人生の目的について、現在の私たちに何を教えてくれるのだろう？　古の知恵は、今日の私たちの生活をどうやって豊かにしてくれるのだろうか？

私は時折思う。アフロフューチャリズムとは、想像力で現在の意識の扉を叩き、進取の気性に富んだ人びとに向けて、永遠に失われた世界や時代の概念や物語を吹き込むものなのだと。現代の神話創造とは、過去の遺産と潜在意識によって、女神がヴィジョンを共有しているだけなのかもしれない。

宇宙のなかの聖なる女性（ディヴァイン・フェミニン）

アフロフューチャリズムとフェミニズム

The Divine Feminine in Space

黒人女性として初めて宇宙飛行を果たしたメイ・ジャミソン博士は、物心ついた頃から数学やテクノロジーが好きだった。しかし、彼女が宇宙に行く夢を持ったのは、『スタートレック』で唯一の黒人キャラクター、ウフーラ中尉を毎週見ていたことがきっかけだ。一九六〇年代にニシェル・ニコルズが演じたウフーラ役は、近年ではゾーイ・サルダナが演じている。ニコルズは、一九六〇年代にテレビ出演していた数少ない黒人女性だ。メイドではない役を演じていた黒人女性は、『ジュリア（Julia）』（一九六八－七二）に主演していたダイアン・キャロルと彼女くらいしかいなかった。

ウフーラというキャラクターが『スタートレック』に登場した理由は、人種平等のメッセージを入れようという番組側の思惑だった。しかしニコルズは、ウフーラのストーリーラインが活かされていないことに不満を持ち、辞表を提出する。ここで彼女を思いとどまらせようとしたのが、公民権運動の指導者、マーティン・ルーサー・キング・ジュニア牧師だ。

「彼に言われたんです。『私は地球上で一番のトレッキーです。ウフーラ中尉の一番のファンでもある』って」とニコルズは回想する。「『その地位を捨ててはいけません。あなたは世界中の人びとの意識を変えています。あなたを通して、私たちは初めて自分自身を見ているのです。私たちが何になれるか、私たちが何のために闘っているのか、私たちが何のためにデモをしているのかを』と彼は言いました」そして、ニコルズは、思いとどまった。[1]

二〇一二年、メイ・ジェミソンは「一〇〇年スターシップ」プロジェクトを立ち上げた。これは、二一一二年までに恒星間飛行を実現することを目的とした非営利団体である。すべては、架空のキャラクターから始まったのだ。

神話創造

「女性は、男性とは違ったアプローチでアフロフューチャリズムを使います」とアート・キュレーターのイングリッド・ラフルアは言う。

二〇一一年一一月一一日（11-11-11）、ラフルアはピッツバーグのフィ・ギャラリーで「私の神話（My Mythos）」と題した女性アフロフューチャリストだけの美術展を開催した。ここでは、アヤナ・ムーア、アリシャ・ワームズリー、クリスタ・フランクリン、ステイシー・パール、D・デネンゲ・アクペムなど、批評家からの評価が高いアーティストの作品が展示された。「『私の神話』は、私たちが新たな真実に到達するための変貌の手段として、個人的な神話を作り上げる経緯を検証している」とラフルアは記し、アーティストは「自分が想像した現実へと、鑑賞者の意識を導く先見者（ヴィジョナリー）なのです」と付け加えている。

こうした神話は、古代の神話から借用して創造されたものがほとんどだが、アフロフューチャリズムでは、アーティストが自由に自分なりの神話を作ることが奨励されている。詩人でミクストメディアのコラージュ作家でもあるクリスタ・フランクリンは、「ナイーマ・ブラウンの知られざる伝説(The Untold Legend of Naima Brown)」というシリーズを発表した。ナイーマ・ブラウンとは若いシェイプシフター〔様々な姿に変身する存在〕で、変身するたびに巻き髪の痕跡を残す。「彼女は髪を編むことのできるシェイプシフターです」とラフルアは言う。フランクリンが作った神話によれば、幼馴染みがブラウンの髪を集めており、フランクリンが展示している作品は、ブラウンの残骸で作られているという。

アリシャ・ワームズリーは、文明崩壊後の世界の物語を作った。生き残ったのは、黒人女性と白人男性だけだ。「男性たちは子孫を残そうとしており、無菌環境にいます。そこで、女性たちはポッドに入り、そこで一部始終の物語を説明するヴィデオが流れます」とラフルアは言う。

D・デネンゲ・アクペムは、ゴールドラッシュでカリフォルニア州に移住した自身の祖先からインスピレーションを受け、天上から吊り下げた装飾を発表した。「とても美しい金色の塊が回っています」とラフルア。振付師のステイシー・パールは、慣れ親しんだ世界から知らない世界へと移行するダンサーをマルチメディアで表現した。版画家のアヤナ・ムーアは、スキャナーを通した「エボニー」誌の画像を使い、初のマルチメディア作品を制作した。「彼女の作品では、鑑賞者が自分なりの神話を作れるようになっています」とラフルアは語る。

アフロフューチャリズムは、女性にとって自由な空間である。ドアが開いており、両手は大きく広げられている。あらゆる意味で、黒人女性が自由になれる空間なのだ。彼女たちは、黒人であることや女性であることの社会的な意味を裏側まで掘り下げ、より深いアイデンティティを表現する。そしてその発見を利用して、黒人であること、女性であること、さらにはその他のアイデンティティを想像力の許す限り、形を問わず定義する。

ただし、これをやってのけたのは、アフロフューチャリストが初めてではない。過去には芸術家のエリザベス・キャトレット、作家のゾラ・ニール・ハーストン、人類学者/振付師のキャサリン・ダナムなども、想像力、芸術、テクノロジーを駆使して、黒人や女性の表現を再定義してきた。しかし、黒人の女性クリエイターが想像力で評価され、未来を代表・形成する立役者として対等に取り沙汰されるムーヴメントは、アフロフューチャリズムが初めてだろう。アフロフューチャリズムは、想像力を抵抗の空間として利用したキャトレット、ハーストン、ダナムのような女性を讃え、この思想の系譜を確立する。

アフロフューチャリズムのなかでは、黒人女性の想像力、イメージ、声が、時代の通念や感性にはめ込まれることはない。黒人女性は平均的なアメリカの規範にも縛られない。政府に依存していないことを証明しようとしたり、最新のブログに書かれている理想の美に憧れたりすることもない。画一的な黒人のイメージにも囚われることはない。女性たちは、男性からの承認や社会規範、肌の色に基づく分類、女性に向けられがちな期待などのプレッシャーを感じることなく、理論、キャラクター、芸術、美を作り出す。こうして、一部の批評家が「分類できない」と評する作品が出来上がるのだ。

分類できないのは、作品だけではない。クリエイターも分類不能だ。エリカ・バドゥをフィーチャーしたジャネール・モネイの〈Q.U.E.E.N.〉（二〇一三）は、キワモノ（フリーク）の概念に疑問を呈する。彼女たちは、有色人種女性に対する社会の低い期待に収まることなく、生まれ持った自立精神を醸し出していることで、フリークと呼ばれているのだ。彼女たちは、とくにダンスやファッションで、許容範囲を超えた行動を取る。その自由なダンスや奇抜な服装はセクシュアルで挑発的とされ、見る者たちを動揺させる。先日開催された黒人実存主義のカンファレンスで、アキータ・キャリーが披露したダンス・パフォーマンスのようだ。ダンスでアフロフューチャリズムを探求しているキャリーは、カリブ・ファンクを踊った。クラシックバレエ、モダンダンス、ピラティス・フィットネス、アフロカリビアンのスタイルを融合させたダンス・スタイルだ。このダンスでは、ベリーダンスのような腰の回転と、流れるような腕の動きが強調されていた。ただし、このダンスは、性的に誘惑したり、官能的な感情を掻き立てたりすることを意図するものではなかった。彼女がパフォーマンスを終えた後、好奇心に駆られた一人の男性が尋ねた。このようなパフォーマンスを見て、性的なことを考えないのは不可能ではないだろうか？　どうすればパフォーマーを性的な対象として見ないで済む？　自分の身体をコントロールしている女性の存在自体に心を揺さぶられ、即座に性の対象として見てしまう人も多かった。「私たちがダーティって呼ばれるのは、あらゆるルールをぶち壊しているから」と、モネイは〈Q.U.E.E.N.〉で歌っている。「たとえみんなが気まずくなっても、私はありのままの自分を愛したい」

魔法（マジック）は本物（リアル）

アフロフューチャリスト作家の多くは、SF、アフロシュルレアリスト、マジックリアリズム、ファンタジーと形容されるが、これは彼らの作品が科学、自然、魔法（マジック）をひとつに結びつけているからだ。違いは紙一重である。

L・A・バンクスは、『ヴァンパイア・ハントレス（Vampire Huntress）』（二〇〇三―二〇〇九）シリーズを執筆し、若い女性の成長を描いた。厳密にはホラーだが、この作品は多文化主義、アフリカ文化や南米文化の歴史的背景、地上の魔術を加えており、ジャンルを超越している。トニ・モリスンも、心霊現象やスピリチュアリティを織り交ぜたことで知られている。どちらの女性もアフロフューチャリズムを枠組みとして使ってはいないが、目に見えるものと見えないものが対等に生きている世界を横断するという探求心は、黒人女性の芸術作品であることを強調している。アーティストのジョン・ジェニングスと文学研究者のスタンフォード・カーペンターは、黒人の文学と芸術における怪談や心霊現象の存在を「エスノ・ゴシック」と呼んでおり、これを文化的なトラウマに対処するための方法だと考えている。しかし、こうした神秘主義や自然界の描写は、世界中の宗教で認められている神聖な女性性を彷彿とさせる。一般に、アフロフューチャリズムは聖なる女性原理の本拠地だ。自然、創造性、感受性、神秘主義、直感、癒しを、テクノロジー、科学、成果のパートナーとして重視する「母なる大地」の理想である。聖なる女性は情報収集プロセスの対極に位置し、多くのアフロフューチャリストはこのプロセスを利用する。人類は自然や星、宇宙的な自己意識との繋がりを失っており、聖なる女性の美徳を取り戻すことで完全性に到達できる、という信念は広く浸透している。アフロフューチャリズムに関わる男性の多くも、女性と同じようにこの聖なる女性の原理を受け入れている。

映画のなかで「聖なる女性」の概念をもっとも象徴しているのは、『マトリックス』三部作に登場するオラクルだ。一、二作目ではグロリア・フォスター、三作目ではメアリー・アリスが演じたオラクルは、ネオが己を知るためのガイドである。しかし、ネオに与えるのは明確な助言というよりも、考えるべき事柄だ。ネオは選択の力を使って、オラクルの知恵を解明しなければならない。彼女はネオに言う。「あなたはすでに選択したの。あとは、あなたがそれを理解するだけ」[2]

アフロフューチャリズムは聖なる女性を尊重しており、ここがSFや未来派といった過去のムーヴメントとは異なる。アフロフューチャリズムでは、技術的な成果だけでは自由な発想の未来は実現できない。自然との関係を丁寧に築くことも、調和の取れた未来には不可欠なのだ。

アフロフューチャリズムでは、人間の女性的な側面が伸び伸びと君臨している。形而上学的には、人間の女性的な側面とされる潜在意識や直感が、このジャンルでは優先されている。この女性的な側面は、西洋の神話に導かれることもなければ、一般的な歴史観に制約されることもない。女性アフロフューチャリストは、自身の創造的な声に対する意思決定力を有している。彼女たちは、自分なりの基準を作る。世界を見るため、そして世界に見られるためのレンズを作る。もっとも重要なのは、彼女たちの声が男性や人種差別的な視点に対抗するために作られたものではないということだ。アフロフューチャリストの女性たちは、明らかに現代のジェンダー問題に影響を受けているが、彼女たちの創作物や理論自体は、こうした制限を価値のないものにする空間から生まれている。おもな共通点は、彼女たちの個性と、自由な発想を促したいという欲求、現在と過去を苦しめてきた「主義(イズム)」を終わらせたいという願望だ。

アフロフューチャリストの女性は、観客をプログラムしなおし、考えを変えることに大きな喜びを感じる。このジャンルに影響を与えてきたミューズやアイコンは、どこからともなく現れるのが常だ。例えば、グレイス・ジョーンズ、オクテイヴィア・E・バトラー、エリカ・バドゥ、ジャネール・モネイは、分類しにくい。彼女たちの経歴や私生活すら、謎に包まれている。表面的には、ひとつの芸術運動にきっちりとは収まらず、多くの説明を要する時代の記録のなかにも入りきらない女性たちだ。

「私はフリーク？　それともただの変人（ウィアード）？　私のこと、弱い（ウィーク）って言ってもいいし、いっそのこと、ヒーローって呼んでもいいよ」とジャネール・モネイは〈Faster〉（二〇一〇）で歌っている。

「このために、私はずっと闘ってきました。みんながありのままの自分を愛せるように。自分や相手のことが気に食わないからって、人を虐めることがないようにって。若い頃から今にいたるまで、私はこのメッセージを送り続けてきました。差別されたりからかわれたりするのが怖くて、自分のアイデンティティに悩んでいる若い女の子はたくさんいます。私がリスクを冒して想像力を使うことで、他の人たちも気兼ねせずリスクを冒せるようになる。それが私の願いです[3]」

ンネディ・オコラフォーの『死を恐れる者』を読み、D・デネンゲ・アクペムのパフォーマンス・インタレーション「別の運命888（Alter-Destiny 888）」やアキータ・キャリーのダンス・パフォーマンスを鑑賞し、アフア・リチャードソンのコミック・イラストをめくると、まるではるか遠い国に放り込まれたかのように、意識の方向転換が起こる。しかし、その土地は身近に感じられる。ある人には心地良く、ある人には不安に感じられる現実だ。アーティストは、見る者に何かを思い出させようとしているかのように、淡々と語りかけてくる。あなたなら知っているはずだと。しかし、本当に知っているのだろうか？　なんだか懐かしくもある奇妙なことが、それほど奇妙ではなかった瞬間と空間。それを思い出そうとするという、無意識のゲームがそこにある。奇妙だが覚えのある何かが、ひらめきの瞬間を導き出す。女性アフロフューチャリストは、自ら規範を作る。世界はそれに追いつこうとしているだけなのだ。

スター誕生

アフロフューチャリズムには、「スター誕生」的な側面がある。ゼウスの頭蓋骨から変身しようが、ワンダー・ウーマンや黒人の妹ヌビアのように土から作られようが、作品には超自然的な資質がある。グレイス・ジョーンズも例外ではない。彼女はポップ・カルチャーでセンセーションを巻き起こし、その大胆な行動、常識の斜め上を行く個性、魅惑的な容姿で、あらゆる常識を覆した。一九七〇年代後半、世界の舞台に登場した時の彼女に、ありきたりな点はひとつもなかった。彼女は女性解放運動や黒人解放運動後のジョセフィン・ベーカー的存在だった。鉄のようにクールで、女性らしくも中性的な彼女の風貌は、八〇年代初頭のスタイルを決定づけ、二一世紀にも再流行した。牧師の娘としてジャマイカで生まれたジョーンズは、幼少時にニューヨークに移住し、世界を舞台に活躍しようと、演劇のトレーニングに励んだ。彼女のロケットは、ニューヨークやパリのクラブ・シーンとファッション・ハウスで打ち上げられた。彼女はエキゾチックなものとフューチャリスティックなものを衝撃的な作法で結びつけ、パワフルに表現した。アンディ・ウォーホルのミューズでもあった彼女は、一九七〇年代から八〇年代にかけて人気を博したが、二一世紀に入って新たなポップ・スターの面々が彼女のスタイルを再現すると、伝説的な地位に昇りつめた。ジョーンズは、一九七〇年代半ばに数枚のディスコ・シングルをレコーディングし、一九七七年にはアイランド・レコードと契約を締結。その後、七〇年代後半から八〇年代にかけて、アンダーグラウンドなダンス・ヒットを連発した。二〇〇〇年代に入っても音楽制作を続け、二〇〇八年にはアルバムをリリースしている。彼女のエレクトロニックなニューウェーヴ・サウンドは、一九七〇年代に音楽の急激な変化をとらえているが、もっとも評判が高いのは、その過激なファッションとスタイルだ。「私はずっと反逆者だった」とジョーンズは語る。「何事も、決められた通りにはやらない。ルールがどうであろうと、社会が何と言おうと、私は反対の方向に行くか、自分で新しい方向を作り出す[4]」

一九八五年にアンダーグラウンドなクラブとして知られるパラダイス・ガレージでパフォーマンスしたジョーンズは、ボディペイントを施し、金属とワイヤーでできたカラフルな衣装で登場した（どちらもアーティストのキース・ヘリングが企画・制作したものだ）。この時、先住民アートのアイディアは、フユーチャリスティックなファッションに変貌したのだった。

ジョーンズは、長身でしなやかな肢体をした褐色の肌の女性だ。角ばった顔立ちが、スクエアなヘアスタイルで強調されていた。彼女がファッションでやったことはすべて、数十年後にはファッション界の象徴となった。「モデルというのは、実際の人間ではなく、マネキンに見えるように存在していいます。芸術や幻想は、ファンタジーであるべきなのです」と彼女は言う。レッドカーペット上の彼女の姿は衝撃的だった。彼女のコンサートは、男女の役割を逆転させ、ジェンダーを屈曲させる驚愕のカーニヴァルだった。グラマラスなビッグヘアを目指す女性が大半を占める中、ジョーンズはトップを角刈りにし、サイドとバックを剃り上げていた。そのヘアスタイルは、およそ十年後に黒人男性のあいだで流行する。また、八〇年代の肩パッド付きファッションも彼女が始めたもので、これが二〇一〇年にはハイファッションでカムバックを果たす。さらに、女性の社会進出が進む中、彼女はかっちりと仕立てたパンツスーツを着こなしていた。

一九七〇年代後半から一九八〇年代半ばまで、ジャン゠ポール・グードがほぼ独占的にジョーンズのスタイリングを手がけてきた。ボディペイントを施したヌード姿から、フード付きのロングドレスにいたるまで、彼女の衣装はマドンナ、レディ・ガガ、リアーナなどに真似されてきた。彼女のスタイルと押し出しの強さ、大胆さと異世界的な壮大さは、グードの未来的なファッションを体現していた。ジョーンズの登場は、昔も今も壮観だ。二〇一二年、六四歳になった彼女は、エリザベス女王の即位六〇周年祝賀祭でパフォーマンスを行った。黒と赤のボディスーツと、巨大な赤いヘッドドレスをまとった彼女は、〈Slave to the Rhythm〉（一九八五）を歌いながら、そのスリムな肢体でフラフープを回していた。

ジョーンズは、美、セクシュアリティ、女性らしさの既成概念を打ち砕いた。彼女はファッションを武器にすると、美の基準や女性の役割をひっくり返し、人びとを戸惑わせながらも虜にした。スタイリストやプロデューサーの助けは借りてはいたが、ジョーンズは常にジョーンズだった。

「でも、私は自由な精神の持ち主」と彼女は言う。「何がいけないのでしょう？　自由に制限を設けることなどできないのです[5]」

フェミニストの空間

「アフロフューチャリズムはフェミニスト・ムーヴメントです」と語るのは、コロンビア大学教授のアロンドラ・ネルソンだ。いまや伝説となったアフロフューチャリストのためのメーリングリストを立ち上げた、アフロフューチャリズムの研究者でもある。黒人のSF小説には複雑な黒人女性キャラクターが登場し、芸術その他の分野ではアフロフューチャリストの女性が多く活躍しているが、彼女によれば、これは偶然ではないという。「アフロフューチャリズムの中心には、常に黒人のフェミニストがいました」

初期のアフロフューチャリズムは、音楽界の巨匠や映画に傾倒していたが、多くの女性研究者は、これを他の芸術や社会変革にまで広げていった。シェリー・R・トーマスは、アフリカ系アメリカ人によるSF作品を集め、W・E・B・デュボイスの短編小説を含む初の大規模なコレクション『ダークマター――アフリカン・ディアスポラからのスペキュレイティヴ・フィクションの一〇〇年(Dark Matter: A Century of Speculative Fiction from the African Diaspora)』を編集した。南カリフォルニア大学のアンナ・エヴェレット教授は、初期のアフロギークス・カンファレンスを企画し、社会変革のためのインターネット利用可能性について論じた。キャラ・キーリング教授は、アフロフューチャリズムを通じた画期的なクィア・スタディーズを確立した。

しかし、ある空間をフェミニストのものだと主張しても、その空間が女性だけのものだというわけではない。フェミニストの空間とは何か?「ひとつの特徴は、平等な環境で仕事や意思決定ができるよう、女性をエンパワーしていることです」と、フェミニストのジェニー・ルビーは語る。「もうひとつの特徴は、形、年齢、サイズ、能力を問わず、あらゆる女性の身体を受け入れていることです」。また、フェミニストの場所には、民主的な意思決定、仕事の分担があり、「攻撃や競争よりも、育成や協力を重視し、性差別、人種差別、同性愛者に対する差別、年齢差別、階級差別に反対する」という目標があるという。[6]

「［アフロフューチャリズムは］女性がアイデンティティを見つけるための場所ではありません。フェミニストの場所なのです」とネルソンも言い切る。「もちろん、女性がエンパワーされた気分になる場所でもあります。というのも、人びとは科学やテクノロジーで力づけられると論じられているからです。テクノロジーは本質的に、女性が中心人物となる空間を切り開いてくれるものだと思っています」

アフリカにルーツを持つ人びとが世界の知識に貢献しても、文化的に評価されるばかりで、科学的に評価されることはないが、ネルソンによれば、黒人女性の貢献に関しても同じ傾向があるという。彼女が一例として挙げたのは、マダム・C・J・ウォーカーだ。一代で億万長者になった初のアメリカ人女性として広く知られているウォーカーだが、自ら立ち上げたヘアケア事業を大成功に導いた製品の発明家として認められることはない。

「アフロフューチャリズムが、アフリカーナや黒人、科学とテクノロジーを取り巻く創造性への関与や革新であるとするならば、マダム・C・J・ウォーカーは、まさにこれに当てはまります。彼女がやっていたのは、化学です。ビジネスパーソンとしての彼女のスキルと匹敵していたテクノロジーなのです」とネルソンは語っている。

バトラーのルネッサンス

オクテイヴィア・E・バトラーは、アフロフューチャリズム御三家の三人目にあたる（あとの二人はサン・ラーとジョージ・クリントンだ）。黒人SF作家として初めて広く認められたのは、ハーレム生まれのサミュエル・R・ディレイニーだが、バトラーは女性から特別な共感を呼んだ。「サン・ラーに由来するアフロフューチャリズムの系統があるのと同様に、オクテイヴィア・E・バトラーに由来する系統もあります」とネルソンは語る。

科学とテクノロジーが支配する超男性的なSFの空間において、女性（とくに有色人種の女性）が歪んだ現実や遠い世界をどのように活動できるかの青写真を示したのがバトラーだ。彼女は、古代であれ現代であれ、複雑な世界を生きる多面的な黒人女性の舞台を用意した。人類を啓蒙しようと奮闘しながら、勝利のなかで脆さを見せ、危険のなかで勇敢に振る舞う女性たちである。

バトラーはSF作家として知られているが、作家のナロ・ホプキンソンと同様、自身が描く現実のなかにマジックリアリズムや魔法的なものを取り込んでいる。また、バトラーの宗教的なメタファー、中心となる女性のナラティヴ、アフリカン・ディアスポラの神秘主義、愛の変革力は、多くのアフロフューチャリストが作品に織り込む理念でもある。彼女は多くの女性に声を与え、女性の問題、人種、SF、神秘主義、未来を融合したアフロフューチャリスティックな黒人女性の正当性を立証した。

「彼女には圧倒されました」とSF作家のンネディ・オコラフォーは語る。自身も数々の賞を獲得している彼女は、バトラーの大ファンである。「私も小説を書いていましたが、彼女の作品を読むまで、自分の書いているものが出版できるかもしれないなんて、思いもしませんでした」。オコラフォーは『風を探すザーラ(Zahrah the Windseeker)』(二〇〇五)、『死を恐れる者』などの著作を持つ。この二冊とも、主人公は神秘的な能力の持ち主だ。

「オクテイヴィア・E・バトラーは、彼女なりのやりかたでお手本になりました」と、スペキュレイティヴ・フィクションの書き手として知られるN・K・ジェミシンは語る。「『SFという』ジャンル自体が、『あなたはここでは歓迎されていない』という、はっきりとしたメッセージを送っています。でも彼女を見て、黒人の女性作家はみんな、『ああ、私のような人がいる。ってことは、私もここにいていいんだ』と感じたはずです。『ここにいてもいいんだ』と思える瞬間がなければ、このジャンルにここまで多くの黒人女性作家がいたかどうかわかりません」。自著を出版している黒人女性のSF・ファンタジー作家は少なくとも五〇人はいるはずだ、とジェミシンは見積もっている。

ジェミシンは、子どもの頃からSFやファンタジーを書いていた。しかし、一〇代でオクテイヴィア・E・バトラーに出会うまでは、黒人や女性を主人公にしていなかったという。「本を読みながら、『え、ちょっと、この女性って、黒人じゃない？』と思いました。写真を探しましたが、ありませんでした。写真はなかったけれど、本の表紙には白人女性の絵がついていました」。写真はさておき、ジェミシンはここで気づいた。「それまでのSFでは、黒人女性の主人公を見たことがありませんでした」。彼女は自分の書く物語でも、白人男性以外を主人公にできると思っていなかったのだ。

ジェミシンのデビュー作『空の都の神々は』（二〇一〇／邦訳二〇一一、早川書房）は、ネビュラ賞、ヒューゴー賞、世界幻想文学大賞にノミネートされた。次いで出版された『殺しの月（The Killing Moon）』（二〇一二）シリーズは、古代エジプトを彷彿とさせる社会を舞台に、聖職者の旅路と権力闘争を描いている。バトラーを皮切りに、タナナリヴ・デューやナロ・ホプキンソンといった作家のおかげで、SFに女性の描写が増えた。また、女性SF作家の台頭により、SFとファンタジーにおける女性キャラクターのダイナミクスも変化しつつある。SFでは概して、「一人の人間」としての女性よりも、女性の身体や機能に魅力を感じている、というのがジェミシンの所感だ。「これは、男性の視線を通した女性です——男性に興味を持ってもらうための、女性のあるべき姿です。それでも、昔に比べれば、そこまで多くありませんが」

バトラー自身は、「作家に尊敬される作家」と形容されることが多い。一九四八年に生まれ、カリフォルニア州パサデナで育った彼女は、一二歳の時に凡庸なSF映画を観て、自分ならもっと良い話が作れると思い、執筆を始めたという。彼女の代表作は、『異種発生（Xenogenesis）』（一九八七－一九

オクテイヴィア・E・バトラー『キンドレッド』風呂本惇子、岡地尚弘訳、河出書房新社

八九）三部作（ワーナーからの再販版のタイトルは『リリスのひな鳥(Lilith's Brood)』)、『キンドレッド』（一九七九／邦訳一九九二、山口書店。二〇二一、河出文庫）、『寓話』シリーズ（一九九三—一九九八）。彼女が描くヒロインは魅力に溢れており、成長するための通過儀礼として、新しい土地でトラウマを克服していく。

白人宣教師の養女となったアラナ・ヴェリックは、バトラーの『パターンマスター(Patternmaster)』シリーズの始まりとなった『サヴァイヴァー(Survivor)』（一九七八）のヒロインだ。二〇世紀に養父母と地球を去り、すでに住民のいる惑星に地球のコロニーを作ろうとしていた。先住民のあいだでは争いが絶えず、半数が強力な薬物の依存症だった。宣教師たちは、より人間らしい姿をした薬物依存症の住民側につくが、アランナは聖書のなかのモーゼのごとく、対立する反乱軍を率い、依存症を克服し、惑星の住民たちをより良い状況へと導く。彼女の見事な外交力、愛、自己犠牲の精神は尊敬を集める。シリーズ三作目の『ワイルド・シード(Wild Seed)』（一九八〇）では、西アフリカのヒーラーで、変身能力を持つアニャンウが、不死身のミュータント、ドーローとの複雑な結びつきを通じて愛、欲望、運命と格闘する。ねじれた関係を持つ二人は、中間航路（奴隷貿易の際に用いられた中欧・アフリカ・新世界を結ぶ航路）を経由して奴隷国アメリカに辿り着く。アニャンウは天賦の才を備えた血統を作るため、時空を超え、男女双方の姿で行動し、独創的な子孫を生み育てる。ある時点では、イルカにも変身している。

アフロフューチャリストの作家や芸術家の多くは、自身の複雑なストーリーラインをバトラーの影響だとしている。また、アフロフューチャリスティックな小説や芸術における女性ヒロインの人気は、バトラーが作家や映像作家、芸術家に与えた影響によるものだ、とも考えている。バトラーの名作は、アフロフューチャリストにとって基準であり、インスピレーションでもある。著名な振付師でパフォーマンス・アーティストのステイシー・パールは、『オクテイヴィア（Octavia）』（二〇一二）を上演した。これは、バトラーの作品と人生をテーマとしたダンス・プロジェクトだ。ニコール・ミッチェルは、バトラーの作品に合わせて交響曲を作曲し、芸術家のクリスタ・フランクリンは、バトラーの物語を描いた作品を手がけた。ファンタジーの分野で活躍する有色人種を増やすことを目的とするカール・ブランドン・ソサエティは、オクテイヴィア・E・バトラー記念奨学金を提供している。さらに、アトランタの黒人女子大であるスペルマン大学は、「オクテイヴィア・E・バトラー・セレブレーション・オブ・ファンタスティック・アーツ」というイヴェントを開催した。

風を探す者（ウィンドシーカー）

ンネディ・オコラフォーは、二〇一一年に小説『死を恐れる者』で世界幻想文学大賞を受賞した。文明崩壊後のアフリカに住む黒人女性の物語で、彼女は自分の民族の大量虐殺を終わらせる力を身につけるために、謎めいたシャーマンに師事する。レイプの結果生まれた彼女の肌は砂色で、これが見る者の憤怒と好奇心を呼び起こす。彼女の名前はオニェソンウ。「死を恐れる者」の意である。

バトラーをはじめ、アフロフューチャリスト作家の先達たちと同じように、オコラフォーもジャンルの枠を超えて物語を作ることが多い。彼女の著作は、マジックリアリズム、ファンタジー、SFなどと形容されている。「シャーマニズム、ジュジュ〔西アフリカの呪物による魔力〕、魔法、大量虐殺、女子割礼や、アフリカの成人男女の問題も取り上げています。ここで記したジュジュは、実際のイボ族の伝統的な信仰に基づくものです。ファンタジーの要素も含まれています」とオコラフォーは言う。

ナイジェリアからアメリカに移民し、シカゴ州立大学の教授も務めたオコラフォーは、二つの世界をまたぐアウトサイダーを描く。また、彼女の作品は辛辣な文化的批評でもある。物議を醸している女子割礼についての描写は、アフリカの学者からの批判を招いた。彼女は『風を探すザーラ』

の主人公をダダと名づけたが、これは「ドレッドロックの髪を持って生まれた子ども」という意味だ。「アフリカが欧米の植民地になる前の時代では、それは特別なことでした。しかしアフリカが植民地となった後は、邪悪とみなされました」と彼女は語る。また、彼女がダダという言葉を多用したため、オコラフォーを魔女（ウィッチ）と呼ぶ者もいた。「四作目のタイトルは、『アカタ・ウィッチ（Akata Witch）』（二〇一一）です。これは、アフリカ系アメリカ人と、アメリカ生まれのナイジェリア人に対する蔑称です。アカタとは、『野生動物（ブッシュ・アニマル）』という意味です。あまり良い言葉ではありません。この本では、そういった問題にも触れています」

集合的記憶とトラウマは、一部のアフロフューチャリストが関心を寄せる問題であり、創作に勤しむ多くの女性が、癒しの手段としてアフロフューチャリズムを利用している。解放のための手段としてアフロフューチャリズムを教えているD・デネンゲ・アクペムは、芸術のなかの儀式的な癒しが、どのようにトラウマ（とくに女性のトラウマ）を癒すことができるかを研究している。彼女のパフォーマンス・インスタレーション「別の運命888」は、儀式としてのアフロフューチャリズムの可能性を追求する試みのひとつだった。このイヴェントは、二〇〇八年八月八日（8-8-8）にニューヨークのロジャー・スミス・ホテルで初日を迎えた。アクペムは一〇日間にわたり、粘土で赤ん坊を作っては壊し、「パン」というトリックスターの神に敬意を表して精巧なヘッドピース（帽子、頭に載せる飾り）を制作。また、残った粘土を潰して粉にしながら、自作の歌の儀式を行った。「この作品は、サン・ラーが語っていた別の運命や革新の概念をベースにしました」と、アクペムは「シックスティ・インチズ・フロム・ザ・センター（作家、編集者、アーティスト、キュレーター、図書館員、アーキヴィストの集団）」のキュレーター／共同設立者であるテンペスト・ヘイゼルに語っている。「とはいえ、これは私独自の作品です。人には自分の運命を変える力があるのか。人は世界の運命に影響を与え、細胞や精神の集団的な記憶のなかにあるトラウマを癒すためのパイプ役を務めることができるのか。こういった疑問に焦点を当てているのです」と彼女は言い、女性はトラウマを隠すと指摘している。[7]

「このパフォーマンス・インスタレーションによって、どのような別の運命が引き起こされたのか、正直なところ私にはわかりません」

「私にわかっているのは、そこには意図があったということ。そして、その意図が実現されたということです」

バトラーはSF界の黒人女性に影響を与え、後述するSF界の巨匠サミュエル・R・ディレイニーは、二〇世紀の文学に大きく貢献した。しかし、アフリカ系アメリカ人によるSFやスペキュレイティヴ・フィクションは、二人が生まれるはるか前から始まっていた。

07

未来を記して

アフロフューチャリズムと文学

Pen My Future

W・E・B・デュボイスは、アメリカのアイコンだ。アメリカにおける人種のダイナミクスを変えた無数の功績で知られている。二〇世紀初頭に公民権を提唱した中心人物であり、NAACP〔全米有色人種地位向上協議会〕創設者にも名を連ねた。黒人の高等教育を推進し、黒人史を記録したパイオニアの一人。アトランタ大学に社会学部を創設し、パン・アフリカ主義者を掲げていた人物でもある。デュボイスの理論は、二〇世紀初頭の人種戦略を定義した。タスキギー大学を創立したブッカー・T・ワシントンと相反したデュボイスの意見は古典とされているが、現代ではどちらの主張も正しかったことがわかっている。黒人の二重意識や「才能ある一〇分の一」について論じたデュボイスのエッセイは、二一世紀の現在でも注目を集めるトピックだ。

しかし、デュボイスがSF作家だったことは、ほとんど知られていない。代表作は「彗星（The Comet）」という短編で、これは一九二〇年出版の作品集『ダークウォーター――ヴェールのなかからの声（Darkwater: Voices from Within the Veil）』に掲載された。物語の主人公は、ジム・デイヴィス。アメリカの人種格差に静かに憤慨している黒人男性だ。文書回収のため、彼は危険な地下金庫に送られた――白人が決してやらない仕事だ、と彼は律儀に言及している。デイヴィスが地下に潜っているあいだに、謎の彗星が衝突。彼は唯一の生き残りとなってしまう。しかし、彼はこの状況にすぐさま慣れていく。白人専用のレストランで食事をし、自分の車を運転するという、日常生活で叶わなかった自由が突如手に入ったのだから、この大惨事にも明らかに利点があったのだ。彼は同じく生き残った若い白人女性と出会う。当初は偏見に囚われ、デイヴィスの褐色の肌を「異質(エイリアン)」としか思えなかった彼女だが、偏見を乗り越えて彼に惹かれていく。人口を増やさなければ、という責任感に取り憑かれた彼女が、デイヴィスと愛を交わそうとした瞬間、救助隊が現れる。彗星でニューヨークは壊滅したが、他の世界は何も変わりなかった。女性は裕福な夫のもとに戻り、落胆したデイヴィスはこれまで通り、社会の底辺に留まるしかなかった。[1]

人種の不均衡は深く根づいており、大災害が起こらない限り、平等は訪れない。これがデュボイスのアナロジーである。死と破壊で荒廃した街にとっての大災害も、デイヴィスや有色人種にとっては、これまで阻まれてきた自己表現と繁栄への希望をはらんだ新しいスタートなのだ。

デュボイスがSF小説を書くことに驚きはない。彼は人生の大半を費やして、人種間の不均衡を根絶するための戦略を考えてきた。また、知的業績によって政治的平等が実現すると固く信じてきた。そんな彼にとって、SFは大きな解放感をもたらすだけでなく、人種に基づく硬直した社会構造をよじ登る上で、「もしも」を考える理想的な手段でもあった。彼は思慮深い黒人男性を物語の中心に据え、変化に抵抗する世界のなかにある希望の脆さやジレンマを描写した。熱心な活動家だったデュボイスは、数々の社会変革を推し進めたが、その大半が彼の死後に花開いた。

奴隷制の終焉で生まれた希望、ジム・クロウ法の制定と暴徒によるリンチの恐怖、少数の上流階級の発展と大衆の弱体化など、世紀の変わり目にはさまざまな変化と葛藤があった。デュボイスも、進歩と退歩のあいだで揺れ動いていたのだろうか。

多くの活動家は、一九世紀からスペキュレイティヴ・フィクションとSFを使って、人種に関する思想を論じ、黒人社会の未来を再構築し、痛烈な時事批評を行ってきた。デュボイスもその一人だ。一九世紀後半に、黒人作家のスペキュレイティヴ・フィクションがどれほど出版されていたかはわからない。当時の三文小説や大衆雑誌は作家の人種を明らかにしておらず、作家といえば白人だと思われていた。

「初期の大衆作家の多くを私たちは名前でしか知らない。これを初めて耳にしたのは、ハーラン・エリスンの指摘だったと思う。彼らは文章だけで仕事をしていた」と、アフリカ系アメリカ人SF作家として、二〇世紀にいち早く名を馳せたサミュエル・R・ディレイニーは記している。「初期の大衆雑誌の目次には、レミントン・C・スコットやフランク・P・ジョーンズといった名前が頻出するが、そのなかの一人、三人、七人、もしくはそれ以上が、黒人、ヒスパニック、女性、ネイティヴ・アメリカン、アジア人でなかったことを知る術はない。執筆とはそういうものなのだ」[2]

ところが、数多くの短編小説や記事が見つかり、そのうちの大半は善意の活動家によるものだったことがわかった。束の間ではあるが、彼らはスペキュレイティヴ・フィクションを使って、自身の苛立ちや未来への希望を綴っていたのだ。例えば、一八一二年、ウェストヴァージニア州で自由人の母と奴隷の父のもとに生まれたマーティン・ディレイニー。彼はハーバード大学メディカル・

スクールに入学した初のアフリカ系アメリカ人の一人だ。南北戦争では、アフリカ系アメリカ人として初の佐官となった。なお、南北戦争で黒人兵の起用をリンカーンに決断させたのは、フレデリック・ダグラスではなく彼の提案だったとも言われている。ディレイニーはまた、一八四〇年代に奴隷廃止を論じる代表的な新聞となった「ノース・スター」紙の創刊に際し、ダグラスとウィリアム・ロイド・ギャリソンを手助けした。自身も奴隷廃止論者だったディレイニーは、逃亡奴隷と連携し、初期の黒人民族主義的な思想を取り入れ、後にリベリアの土地を獲得するための活動を行った。

ディレイニーは作家でもあった。一八五六年の奴隷反乱騒ぎ、一八五七年のドレッド・スコット判決（黒人はどの州の市民でもないという判決）を経て、国を二分する南北戦争が勃発する一年前に、ディレイニーは『ブレイク、またはアメリカの小屋（Blake: or, the Huts of America）』というスペキュレイティヴ・フィクションのシリーズを刊行した。革命家のヘンリー・ブレイクがアメリカの黒人たちを説得し、キューバに黒人国家を作るという物語だ。同シリーズは一八五九年に「アングロ・アメリカン」誌に一部掲載された後、一八六一年から一八六二年にかけて「ウィークリー・アングロ・アメリカン」誌に再掲載され[3]、一九七〇年には書籍として出版された。

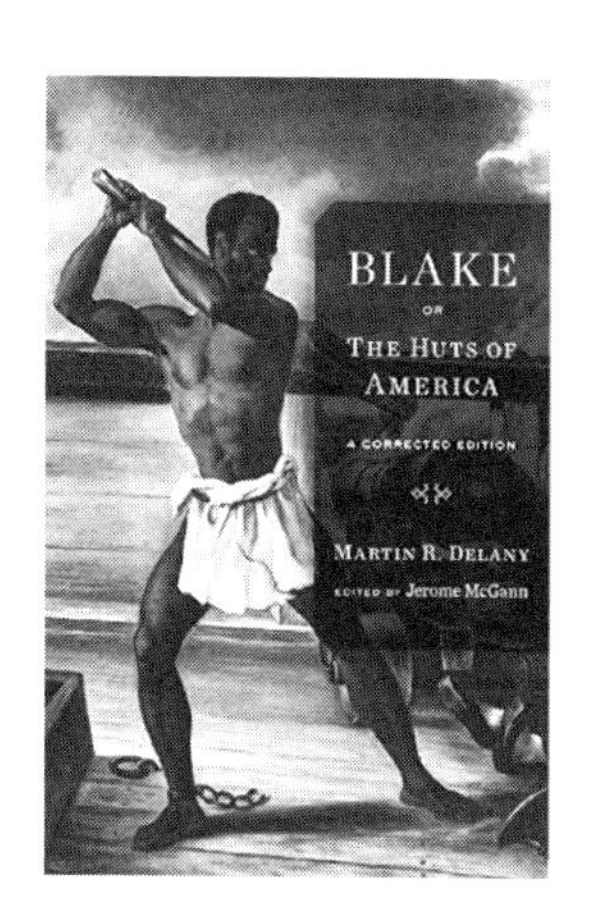

マーティン・ディレイニー『ブレイク、またはアメリカの小屋』

社会活動家でバプティスト派の牧師だったサットン・

E・グリッグスは、一八七二年にテキサス州チャットフィールドで生まれた。アフリカ系アメリカ人の団結と誇りを促す作品を三〇冊以上出版したが、もっともよく知られている作品は『国家内の国家（Imperium in Imperio）』だ。一八九九年に出版されて物議を醸した同書は、エドワード・ベラミーのユートピア的な小説『顧みれば』（一八八〇／邦訳一九五三、岩波書店）に応えるもので、ベラミーの人種描写を批判している。主人公はベルトン・ピードモントとバーナード・ベルグレイヴというアフリカ系アメリカ人の友人二人。どちらも大卒で、バーナードは下院議員に当選。一方、ルイジアナ州の黒人大学で仕事を得たベルトンは、同地でリンチに遭う。ベルトンはリンチを生き延び、自分を生体解剖しようとした医師を殺すが、バーナードの見事な弁護によって裁判で勝訴する。ベルトンは、テキサス州ウェイコにあるアフリカ系アメリカ人の秘密政府「インペリアム・イン・インペリオ」にバーナードを誘う。ベルトンが穏健派だった一方で、バーナードは革命を望んでおり、テキサス州を乗っ取って黒人国家を作ろうと考えていた。バーナードの計画がインペリアムで承認されると、ベルトンはインペリアムによって処刑される。

ニューヨークの弁護士で教育者のエドワード・A・ジョンソンも、『顧みれば』に触発されて、一九〇四年に『黒人の前途にある光（Light Ahead for the Negro）』という本を書いた。これはユートピア的なスペキュレイティヴ・フィクションで、二〇世紀初頭を生きるアフリカ系アメリカ人が、二〇〇六年のアメリカを訪れるという物語だ。南部の黒人は文字を読めるようになり、待ち望んでいた四〇エーカーの土地とロバも手に入れていた。人種差別のなくなった世界が、一〇〇年でどのように進化したかが描かれている。同書出版から一〇年後の一九一七年、ベラミーはアフリカ系アメリカ人として初めてニューヨーク州議会の議員に選出された。

社会改革主義者でフェミニストのフランシス・E・ハーパーは、屈指の人気を誇る詩人でもあった。一八九二年に出版された彼女の著書『アイオラ・リロイ（Iola Leroy）』は、フェミニズムを背景に人種の不平等を語った一冊だ。主人公のアイオラは、奴隷制を支持する南部美人だが、母親が混血の奴隷だったことを知る。つまり、アイオラも奴隷ということだ。「そこから物語は彼女の冒険を描き、ハーパーが思い浮かべる『理想の国家像』を築いて終わる。女性が医師や活動家として活躍し、結婚した女性たちが大きな学校で教鞭を取り、元奴隷の人びとが平和で生産的に暮らせる場所だ。リコンストラクション期の南部を描いた一八九二年の本であることを考えると、このイメージはまさに空想上でしか存在しないユートピアだった」と、作家／図書館員のジェス・ネヴィンスは評している。[4]

一九〇二年、二〇年代初頭に大きな影響力を持っていたポーリーン・ホプキンズは、「カラード・アメリカン」誌の連載を書籍化した『ひとつの血筋から（Of One Blood）』を上梓した。主人公のロウエル・ブリッグスは黒人史に興味がなかったが、考古学探検の旅でエチオピアを訪れ、古代都市テレサーを発見する。この古代都市には、紀元前六〇〇〇年にエチオピアの子孫が住んでおり、水晶を使った高度なテクノロジーやテレパシー技術を有していた。

ジョージ・S・スカイラーはロードアイランド州生まれのジャーナリストで、組織化された宗教の批判や、保守的な意見で知られていた。彼はハーレム・ルネサンス文学を好まず、デュボイスを敬愛してもいなかった。彼の著書『ノーモア黒人』（一九三一／邦訳二〇一五、関西学院大学出版会）は、黒人を白人に変える方法を発見した科学者の物語だ。白人の群衆が強欲な発明家たちをリンチする壮絶なシーンは、南部の陰惨な黒人リンチを丹念に再現している。彼が一九三六年から一九三八年にかけて「ピッツバーグ・クーリエ」紙に連載していた『ブラック・インターナシオナル（Black Internationale）』と『ブラック・エンパイア（Black Empire）』のシリーズは、「ハーレム・ブレイド」紙で白人と有色人種の世界的な戦いを取材するジャーナリスト、カーク・スレイターの物語である。富裕な知識層が戦いを主導し、不平等に苛立つ俊秀たちをブラック・ディアスポラから結集する。「ブラック・インターナシオナル」と呼ばれるこの頭脳集団は、生物兵器でアメリカを屈服させ、アフリカの植民地を宗主国から解放し、空爆でヨーロッパを壊滅させる。株式仲買人の若い白人女性がこの解放運動を助け、ヨーロッパのスパイ部隊のトップに就任する。[5]

社会変革の促進、人種の再考、有色人種による自己表現の模索のためにSFやスペキュレイティヴ・フィクションを使うというアイディアは新しいものではない。システムの弱体化に歯止めをかけ、人種間の格差をなくそうと努めた黒人のパイオニアたちは、自分たちの問題やヴィジョンを明確に示すための手段として、このジャンル（SFやスペキュレイティヴ・フィクション）を使ったのだ。

この伝統は、サミュエル・R・ディレイニー、オクテイヴィア・E・バトラー、ナロ・ホプキンソンにも受け継がれた。三人とも、人種、階級、性別、セクシュアリティ、文化、アイデンティティの問題を融合し、変化していく時代に意味を見出そうとしている。彼らの世界には有色人種が登場するが、「異質性」という問題は、シェイプシフターやジェンダー・ベンダー（自分の性以外の性を装う者）、エイリアンのポッド、タイムトラヴェル、印象的なボディスーツなどで構成されたSFという銀河物語のなかにまとめられている。

ナロ・ホプキンソンは、一九六〇年にジャマイカのキングストンで生まれた。ジャマイカ人の母、ガイアナ人の父を持つ彼女は、カリブ海と南アメリカに住んできたが、アメリカとカナダの居住経験もある。彼女は現代を代表するスペキュレイティヴ・フィクション作家で、複数のアンソロジーを編集し、長編作品や短編小説を数多く出版してきた。カリブ海の方言や文化は作品の多くに根づいており、彼女は文化、人種、性にまつわるポストモダン的な問題を率直に語っている。

『リングのなかのブラウン・ガール（Brown Girl in the Ring）』は、彼女のデビュー作だ。一九九八年に出版されたこのディストピア小説は、反乱軍に包囲されたトロントが舞台で、方言を見事に駆使しながら、トロントのカリビアン・コミュニティを描いたことで高い評価を得た。カリブ海の神秘主義と未来の医療を組み合わせた物語は、移植用臓器の摘出にまつわる不穏なプロットも入っているが、主人公は包囲された街で恐怖に怯えながらも、祖母から伝わる昔の知恵や伝統を発見していく。『私のシスター（Sister Mine）』（二〇一三）は半神の父と人間の母のあいだに生まれた元結合双生児、マケダとアビーの物語だ。魔法の力を持っているのは一人だけだが、謎の失踪を遂げた父を探すためには、二人で力を合わせなければならない。

ホプキンソンの短編「ギャンガー（発光体）（Ganger (Ball Lightning)）」は、ほとんどダークコメディとも言えるようなSF小説だ。アイザック・アシモフが一九四〇年代に書いていたロボット小説にヒントを得た物語で、二〇〇一年に出版されたアンソロジー『ダークマター』に収録されている。クリーヴとイッシーは夫婦だが、もう会話を交わすことすらない。二人は結婚生活を維持するためにフルボディのセックス・スーツを購入するが、そのスーツが彼らに襲いかかる。[6]

「彼女はパワフルな作家で、誰もが羨む想像力の持ち主です」と語るのは、ピューリッツァー賞受賞作家のジュノ・ディアスだ。「彼女が書いたものはすべて読みましたが、その豊かな才能には圧倒されます。彼女が描く主人公は、忘れがたい――悩める勇ましい女性たちが、耐えがたいほどの率直さで描かれているのです。真面目な話、ナロのように姉妹を書く作家はいるでしょうか？　あそこまで率直になるって、勇気の要ることです」。SF研究者のゲイリー・K・ウルフによれば、ナロの家族ドラマに影響を受けた他の作家たちも、SFの常識を超えて、家族関係を描くようになったという。[7]

サミュエル・R・ディレイニーは、二六歳までに一〇冊近くのSF作品を書き、ネビュラ賞を三回受賞した。「ギャラクシー」誌の批評家アルジス・バドリスは、『ノヴァ』(一九六八/邦訳一九八八、早川書房)を発表した直後のディレイニーを「世界最高のSF作家」と評した。世界でも指折りの名声を誇るディレイニーは、サイバーパンクやアフロフューチャリズムに影響を与えたとされている。後期作品の一部は、ディレイニー自身が「ポルノグラフィー」と呼ぶほど強烈な性描写を含む。現在までに二〇作以上の小説を出版しており、ネビュラ賞を四回、ヒューゴー賞を二回受賞。SFの殿堂入りを果たしている。

ディレイニーは「人種差別とSF(Racism and Science Fiction)」(一九九八)と題したエッセイのなかで、自分をバトラーとホプキンソンと同類に扱いたがるSF界に疑問を呈し、三人とも黒人ではあるが、作品、経歴、年齢、視点はまったく異なると指摘した。しかし、ハーレム生まれのレジェンドは、白人でない読者や作家がもっとカンファレンスに参加し、問題を議論することが、SF界の「先入観」をなくす最善の方法だと付け加えており、読者の約二〇パーセントが有色人種になれば、作家と読者の様相は変わるだろう、とも記している。

ディレイニーのこのエッセイが『ダークマター』に収められた二〇〇〇年、アフロフューチャリズムはジャンルとして定着していた。多様性に無関心なジャンルのなかで、多くの作家たちがディレイニー、バトラー、ホプキンソンといった先駆者を文学的な手本としていた。一九九九年、スペキュレイティヴ・フィクションの多様性を推進するために、カール・ブランドン・ソサエティが生まれた。「自分自身のため、そして社会変革の主体として空想する」ことを信条としている同団体は、オクテイヴィア・E・バトラー奨学金を提供するほか、優れた作家を表彰し、新しい作品を支援している。それから一〇年以上が経ち、SF作品やフィクション作家も多様性を増すと、ンネディ・オコラフォーやN・K・ジェミシンなどの作家が生まれたが、それ以外にも無数の作家が登場した。言葉はイメージを引き起こす。アフロフューチャリズムが持つイメージの美学は、想像力の遊び場なのだ。

絵具とピクセルで描かれたムーン・ウォーカー

アフロフューチャリズムとヴィジュアル・アート

Moonwalkers in Paint and Pixels

イメージには大きな力がある。画像生成や映像制作のプロセスは、往年のハリウッドとは異なり、まやかしで覆い隠されているわけではない。誰もがユーチューブで編集のチュートリアルを勉強することもできれば、ネットフリックスで舞台裏の映像を見ることもできる。とはいえ、消費者の多くが映画、動画、写真、絵画、看板、絵葉書などのイメージを誰かの創作物として見てはいないという事実は残る。イメージを見ることは受動的な行為だ。しかし多くの人びとにとって、イメージは事実を伝えるものである。たとえそのイメージが架空のものであっても。

宇宙人を思い浮かべてくださいと言われたら、おそらくあなたは何も想像できないだろう。まず頭に浮かぶイメージは、映画や漫画、ヴィデオゲームで見た数々のシーンだ。宇宙人のドキュメンタリーに出てきた、大きな空洞の頭をした幽霊のような姿。ヒット映画『プロメテウス』に出てきた、人間のような巨人。あなたの脳波に響くイメージは、メディアでよく知られているイメージから切り取られたものだろう。私がここで「よく知られている」という言葉を強調しているのは、イメージが反復されることにより、それが共有された表象として、集合意識に埋め込まれるからだ。

イメージは、独立したシルエットではない。それぞれに思考体系と個別の特徴が付随している。作り手が投影した信念もあれば、見る側が投影した信念もある。しかし、この二つが衝突しても、基本的な合意があり、フィクションが現実の一部と交わる空間が存在する。微笑んでいる妖精の絵は、可愛らしくて魅惑的、時にお茶目だと解釈される。イメージはある程度、過去の物語を焼き直して解釈されるためだ。しかし、無邪気に微笑む妖精が、人殺しの資質や、株式仲買人の日常業務を意味することはない。そのような連想をさせる情報源がないためである。妖精は殺し屋ではなく、株式仲買人でもないのだ。

妖精は黒人でもない。ラテン系でもなければ、アジア系でもない。男性ではない。太ってもいなければ、禿げてもいない。アフリカから東南アジアにいたるまで、妖精の話は世界中で見つかる。妖精のサイズ、性別、髪の質感、性格も多種多様だ。それでも大きなメディアの世界では、妖精の外見と性質がひとつに統一されている。女性で、小柄で、白人。おやゆび姫やティンカーベルのような外見をしておらず、ウェストが極細のタフタスカートを穿けなければ、妖精とはみなされない。

ディズニーは黒人のプリンセスという現代的な物語の描写に苦心した末、二〇〇九年に『プリンセスと魔法のキス』を公開した。公式声明では触れられていないが、プロジェクトを進める上で難題となったのは、シンデレラのフープスカートやラプンツェルの髪型など、ヨーロッパの民話に由来するプリンセスのイメージから、黒人女性が連想されないという点だったのではないだろうか。アニメというフィクションの世界でも、黒人のプリンセスというイメージを観客に馴染ませることが課題だったに違いない。ファンタジーを成立させるために、クリエイターは先入観や二〇世紀の現実に向き合わなければならなかった。しかし、現実の世界では太古の昔から黒人のプリンセスがいた（もちろん、フープスカートを穿いたラプンツェルのような髪型をした黒人プリンセスは多くないが）。

リモート・コントロール

歴史的に平等の権利を求めて闘う人びとは、自分たちの文化の発展・描写や、イメージをコントロールするためにも闘っている。写真や映画、描画などのヴィジュアル・メディアは概して、意図の有無を問わず、階級や性別、民族のステレオタイプを延々と作り出してきた。長年にわたり、伝統的なメディアとギャラリーがヴィジュアル・メディアの門番を務めてきた。作品が彼らのお眼鏡にかなわなければ、どこにいても認められるのは難しかった。

ヴィジュアル・メディアは、プロパガンダを普及する際に好まれる媒体だ。『國民の創生』は、初の大規模なハリウッド映画として知られているが、内容はリコンストラクション期に台頭したクー・クラックス・クランを描いたプロパガンダ的な物語で、黒人のステレオタイプをおよそ一世紀にわたって映画のなかに植えつけた。メディアとヴィジュアル・アート、そして多くの人びとが破壊しようと務めている危険なステレオタイプ。三者の関係は、重大なものである。高校二年生の夏、私はメディアの世界で働こうと決心した。自分が没頭していた書籍、テレビ番組、映画、芸術が、一〇代の日常を超えた大きな世界へと続く唯一の窓口であることに気づいたからだ。私は子どもの頃から、黒人のイメージ、歴史、ポジティヴな思考にバランスよく浸ってきたが、みんながそうだったわけではない。

イメージには、大きな力がある。

だからこそ、ハリウッドにいち早く多様性を求め、長らく活動してきたNAACPは、毎年イメージ・アワードを開催しているのだ。黒人が登場するリアリティ番組や映画、シットコムが世に出ると、掲示板やツイッター、カフェなどでメディアのなかの黒人像が論じられるのも、イメージのパワフルさ故である。スポットライトを浴びたヒップホップ・スターに対し、率先して平等な権利を求める活動をしてほしいと市民運動のリーダーやファンが期待を抱いたのも、黒人の知られざる生活を描いているとして美術展が賞賛されることが多いのも、イメージの鮮烈さが理由なのだ。しかし残念なことに、アメリカに住む黒人は、黒人の生活を枠に入れるためにイメージが多用されるという経験をしてきた。黒人が自らを認識する方法、黒人以外の人びとが黒人に関わる方法としても、イメージは頻繁に使われてきた。しかし、誰の人生であれ、一瞬を切り取った写真や漫画に左右されるべきではない。

『國民の創生』の映像をリミックスして音楽をつけたDJスプーキーのマルチメディア・プレゼンテーションは、世界中の美術館を回った。多くの人びとが映画の描写に恐怖を感じた一方で、DJスプーキーの展示は、テクノロジーがイメージを定義し、再定義する究極のパワーツールであることを強調していた。リミキサーの作業と安価な編集を加えれば、黒人のステレオタイプとしてアメリカの辞書に焼きつけられたイメージは、いかようにも料理できる——消去することだってできる。この威嚇的で巨大なスクリーンの力は、そこに映るイメージを変えたいと思う者の手のなかにあるのだ。

現在では、テクノロジーの力を借りて世界中でイメージを形成・共有することが容易になっている。SNS、ウェブサイト、音楽のダウンロード、デジタルカメラ、低コストのサウンドエンジニアリング、自宅スタジオ、編集機器など、選択肢は幅広い。アニメやイラストのソフトウェアは頻繁にアップデートされ、学生がひとつのプラットフォームを使いこなせるようになる頃には、新しいソフトウェアが登場してしまう。一昔前ならば、ヴィデオカメラを肩に担いだ気鋭の新人が良いシーンを撮るためには、重い照明セットに三脚、レフ板が必要だった。しかし今日では、超軽量カメラやカメラ付き携帯電話で仕事ができてしまう。二年前、私たちは親族会の写真をプロの写真家に撮ってもらった。しかし数カ月前は、従兄妹がiPadで親戚の集合写真（一〇〇人以上）を撮影した。

従来のメディアは、かつてのような情報の門番役を果たしていない。インターネット、安価なデジタル・メディア、モバイル機器やブログの普及などが相まって、アーティストは芸術作品を作り、芸術について書き、世界を舞台に作品を発表できるようになった。過去と現在の黒人のイメージを作り変えようという強い信念で、彼らは結束している。現代のアフロフューチャリスティックなアーティストは、時間と空間の境界を結びつけ、世界を見る別のレンズを提供する。かつて、アフロフューチャリズムはメーリングリストを通じて波及したが、今日ではブログやオンライン新聞、インスタグラムを通じて対話が広がっている。

新しい世界

「アフリカからSF映画が出てくるなんて、みんな思ってもいなかった」と『プンジ』(二〇〇九)を監督したワヌリ・カヒウは「ビッチ」誌に語った。「それも東アフリカ発だなんて。『他にも作れる映画はたくさんあるのに、なぜSF映画を作るのか? それは何を意味しているのか?』と尋ねられることも多いです。特定の地域の出身だと、想像力に限りがあるとでもいうのでしょうか?」[1]

ケニアで生まれ育ったカヒウは、渡米してUCLAで映画を学んだ後、故郷のナイロビに戻って映画監督をしている。『プンジ』はアフリカ初のSF映画で、この革新的な作品は、世界中の映画祭でさまざまな賞を獲得した。プンジはスワヒリ語で「呼吸」を意味する。持続可能性と希望についての問題を提起しながら、カヒウは未来に生きるハイテクなアフリカ人を描き出した。これまでに見られなかったイメージである。

『プンジ』によって、アフリカ発のアフロフューチャリスティック・シネマ新時代が幕を開けるかもしれない。これは、アフリカ人科学者のアシャを描いた二一分の短編映画だ。彼女が住んでいるのは、東アフリカの地下にあるハイテク未来都市、マイトゥ・コミュニティ。第三次世界大戦と水戦争からおよそ三五年後、人類は地下での生活を余儀なくされている。水は希少なため、市民は汗と尿を浄化して飲み水にしている。ある日アシャのもとに差出人不明の土壌サンプルが届いた。これを調査してみると、なんと生命を育むことのできる土壌であることがわかった。彼女は地上に根を下ろした一本の木の夢を見て目覚めるが、夢を見ないよう強く促されているため、夢を見た時には、喋るサイボーグに抗夢剤を飲むよう命じられる。

その後、生命を育む土壌を探そうと決意したアシャは、地上に出たいと訴えるが、評議会はその申請を却下。アシャは囚われの身となる。しかし、彼女は監視の隙をつき汚染された地上に脱出する。生命を維持する土壌の源を見つけて種を植えようと決心した彼女は、自分の汗を使って種を植え、自らの命を投げ出す。死んだ彼女の体が栄養となり、植えられた種は一本の木に成長する、というストーリーだ。主役のアシャを演じたクドザニ・モスウェラが身に纏う未来的なファッションや、果敢に砂地を旅する彼女の姿など、映像はきわめて鮮烈である。

ストーリーは単純明快だ。しかしある批評家は、自身が西洋のフェミニストであるために、物語をきちんと理解できず、本質をついた批評ができないかもしれないと危惧した。この短編のなかには、映画というメディア自体を除けば、西洋文化に根差したものはほとんどなかった。この現実に、批評家は混乱した。物語には普遍性があり、主人公は女性だったにもかかわらず、彼女は関係を築くことができなかった。テクノロジーに精通しながらも、自然とのつながりを求めるフューチャリスティックなアフリカ人の描写は、この批評家にとって分析できないほどに異質だったのだろうか？「おそらく私は、批評を避けることで、カヒウを異質な者として扱っているのだろう」と彼女は結論づけながら、この映画の美しさは実際に観て味わってほしい、と付け加えた。[2]

星は種である

実験映像作家でマルチメディア・アーティストのコーリーン・スミスは、「誰も見たことのないイメージを作りたい」と語る。私たちはシカゴのハイド・パークでおしゃべりに花を咲かせていた。現在では、バラク・オバマ大統領が住んでいることですっかり有名になった地域だ。ほんの数ブロック先には、サン・ラーがよく姿を現していたワシントン・パークとブロンズヴィルがある。「黒人映画を見ていて、自分が使いたいと思うイメージや、想像力を解放する上で役立つと思うイメージに出会うことは稀です」とスミスは言うと、L.A.リベリオン（UCLAの映画学部出身で構成される黒人映像作家の集団）の映像作家たちは、ハリウッドのアンチテーゼとなる新しいイメージを作り出す「達人」だとも話している。

スミスは、アフロフューチャリスティックなアーティストとして二〇年の活動歴を誇る。多くのアフロフューチャリスティックなアーティストと同様、彼女もアフロフューチャリズムという名前がつけられる前から、その美学のなかで活動を始めていた。ＳＦファンのスミスは実験映画の制作方法を学び、フランスの構造主義理論に共感したが、構造主義者の政治的な問題を避ける態度には賛同できなかった。

「私は構造的なコンセプトを記憶や文化と融合させました。現在を再構成しながら、過去と未来について思案する――それがアフロフューチャリズムだとは知らずに」。当時、オースティンのカーボニスト・スクールというコレクティヴに属していたスミスは、テクノロジーとしてのブラックネスという概念にすぐさま魅了された。「私たちはＳＦに夢中でした。そして、こうしたアーティストがみな、ブラックネスをテクノロジーとして使っていることに気づきました。黒人であることは、私たちの不利に作用するテクノロジーとして使われてきました――特定の肌の色の持ち主だとみなされることで、あなたの社会階級、進歩、アクセス、特権が決まってしまうのです」

彼女はグレッグ・テイトの作品を読み、サミュエル・Ｒ・ディレイニー、ジョージ・クリントン、サン・ラーなど、認知的疎外を使いながら虚構を事実として説明する黒人アーティストに興味をそそられた。「クリントンは、私たちに馴染みのあるＳＦ的な表現を取り入れながら、こうした言葉をまったく別のものに変貌させてしまった。それでも、ファンクは変わりなく、よく知られていました」と彼女は語る。「認知的疎外を使い、私たちがよく知っているイメージの認識を変えることが、アフロフューチャリスティックなアーティストの定義です。つまり、私が考えるアフロフューチャリズムとは、アフリカン・ディアスポラにおける通常の状況や動作、生産的な思考を定義・構成することの多いサウンド、イメージ、言語、型を通じて発現する認知的疎外の経験です」と、彼女はシカゴ・アーツ・アーカイヴに録音している。また、「［アフロフューチャリズムは］アイデンティティや地理の名称ではなく、創造的な音楽やポストモダニズム、コンセプチュアル・アートのような、音楽的、文学的、芸術史的なムーヴメントです」とも言い添えている。[3]

二〇一一年の夏、スミスはサン・ラーとシカゴの関係を研究しようと同市にやって来た。彼女はスペースとアート、都市とアーティストの関係にインスピレーションを受けている。「ここシカゴでは、実験というものが労働者階級にきちんと理解されています。他の都市では、エリート層がそれを決めています。シカゴでは、労働者階級が実験を行い、中産階級はそれに応えなければなりません。そんな風に見えます」

スミスはシカゴ大学のアーカイヴを調べ、ＡＡＣＭのメンバーにインタヴューし、サン・ラーの進化にシカゴの文化がどんな役割を果たしたかを知ろうとした。この調査で得た洞察を背景に、彼女は二〇一二年五月、シカゴの現代美術館で「星は種である（A Star is a Seed）」というマルチメディアの展示を行った。

この展示は、技能としての即興を讃えるものだった。「自分がやっていることを完全に把握しているからこそ、即興ができるのです」とスミス。他の文化でも即興の素晴らしさは語られているが、ブラック・ディアスポラが生き延びるために、即興はきわめて重要な要素だったと彼女は考えている。「星は種である」は、視覚を大いに刺激する展示だった。来場者をまず迎えるのは、ブロックのように天井まで積み上げられた古いDVDプレーヤーの空き箱の山だ。次に登場するのは、「洪水の後の箱舟（The Ark After the Flood）」と題された部屋で、ドキュメンタリー映画『植物の神秘生活』（一九七九）からのヴィデオクリップが流れている。金属製のDVDプレーヤーは茎に花が咲くように水槽に向かって傾けられ、天井に映像を映し出す。奇しくも、『植物の神秘生活』はスティーヴィー・ワンダーによるユニークなサウンドトラックでも知られており、ドゴン族とシリウス星との関係を讃えた楽曲が収録されている。視覚的な要素に加えて、この部屋ではさまざまなアーティストによる『オズの魔法使』（一九三九）の劇中歌〈Over the Rainbow〉がサラウンドスピーカーから流れていた。サン・ラーやアート・テイタムなど、多彩なアーティストによって演奏されたこの曲は、「人間の命、希望、夢の脆さと儚さ」を反映していると、スミスはアーティスト・ステートメントで述べている。

また、ブルース・リーの『燃えよドラゴン』（一九七三）の鏡のシーンを彷彿とさせる廊下「無限のヴォルテックス（The Infinity Vortex）」には、「ここに入ったら、時間と空間の概念を捨ててほしい」というメッセージが掲示されている。鏡の廊下を抜けると、映写室に入る。ベンチのほか、座ることのできる二つの巨大な毛玉があり、来場者はここで複数の短編映画を鑑賞する。

上映作品には、シカゴの人びとに見覚えのあるイメージが登場する。例えば、「豆（ビーン）」の通称で知られるミレニアム・パークの「雲の門（クラウド・ゲイト）」。湖畔。二二ストリートとステイト・ストリートのブロックにある円筒型のビル、ヒリアード・ホームズ。ジャクソン・パーク内の六三ストリートに立つ、シカゴ万国博覧会を記念した「ゴールデン・レディ」こと「共和国像（スタチュー・オブ・リパブリック）」。しかし、スミスが描くイメージは、彼女が抱く認知的疎外への愛情を最大限に表現している。彼女は真実をそのまま描くシネマ・ヴェリテの手法で、不思議にもSF的な風景を撮影していた。サウスサイドの路上にあるマンホールのショットすら、エジプトの日時計に見えてきたほどだ。

黒人の子どもたちがキラキラと輝くケープとヘルメットをつけて、湖沿いを自転車で走っている映画もあった。リッチ・セントラル・マーチング・バンド（黒人が大多数を占める高校のマーチング・バンド）が、チャイナタウンでサン・ラーの〈Space Is the Place〉を演奏する場面も出てきた。AACMの元会長ムワタ・ボウデンが、一八〇センチ以上ある金管楽器を演奏している姿をワンショットで収めた映像もある。複数のトランペットを束ねたようなこの楽器は、ディジュリドゥ（オーストラリアのアボリジニが演奏する先住民の楽器）のような音を出していた。

ヴァイオリニストのレネイ・ベイカーが、クロマティック・スケールから外れた音を奏で、一般の通念に衝撃を与える映像もあった。パーカッション、ジミ・ヘンドリックス、ワウペダルを融合したかのような彼女の演奏は、奇想天外で見事だった。催眠的なマイクからおもちゃのピラミッドにいたるまで、これらの実験映画はどれも、究極の認知的疎外を表現していた。故郷のイメージが魔法のシンボルへと変化し、市井の人びとは音楽的なシャーマニズムに駆り立てられる。特殊効果は何ひとつ使われていない。奇妙なことに、赤いウィッグを被った宇宙からの訪問者が紙に書かれたサン・ラーの言葉を持って踊っていたシーンは、私が日常で目にしてきたものを考えると、ごく普通に見えた。カラフルなウィッグや明るい色のメッシュを入れたヘアが、黒人女性のあいだで流行っていたからだ。

抵抗の空間（スペース）

ジョン・ジェニングスは、ジャック・カービーのファンだ。

真のコミック・ファンは、概してカービーのファンだと言えるだろう。コミック界の巨匠カービーは、キャプテン・アメリカ、ハルク、アベンジャーズ、ニューゴッズなど、ＤＣコミックやマーベル・コミックを象徴するキャラクターを多数手がけたイラストレーター、ストーリーライター、編集者だった。「カービーの作品の多くは、神話や伝統を参照していました」と、ロチェスターのニューヨーク州立大学でヴィジュアル・アートの教授も務めていたアーティストのジェニングスは語る。しかし、カービーが黒人コミック・ファンにとって特別な存在なのは、メインストリームなアメリカのコミックで初の黒人スーパーヒーロー、「ブラックパンサー」の共同制作者でもあるためだ。

カービーが黒人スーパーヒーローのアイデンティティ描写を試みたことと、コミック界にもたらした影響力に敬意を表し、ジェニングスはステイシー・〝ブラックスター〟・ロビンソンと手を組み、「ブラック・カービー」という展示を開催した。二人はアフロフューチャリスティックなモチーフを使って、よく知られたカービーの表紙を再現したイラストを展示した。「ブラック・カービーとは、ブラック・パワーを示すアフロフューチャリスティックなファンタジーです」とジェニングス。カービニズムとアフロフューチャリズムに、黒人のポップ・アートを織り交ぜた展示にしたという。二人はクリエイターとしてジャック・カービーの視点を取り入れ、もしカービーが黒人だったらどんなコミックを作っていたかを想像したのだ。ジェニングスは、二〇一二年九月に母校のジャクソン州立大学で一連の作品を初展示した。

どのイラストも、見る者の心を摑む。X－MENを率いるチャールズ・エグゼビアは、ミュータントとして裁判にかけられたキング牧師として描かれている。「異質であることを表現するために、このイメージを使いました」とジェニングス。スポークンワード詩人のギル・スコット＝ヘロンは、

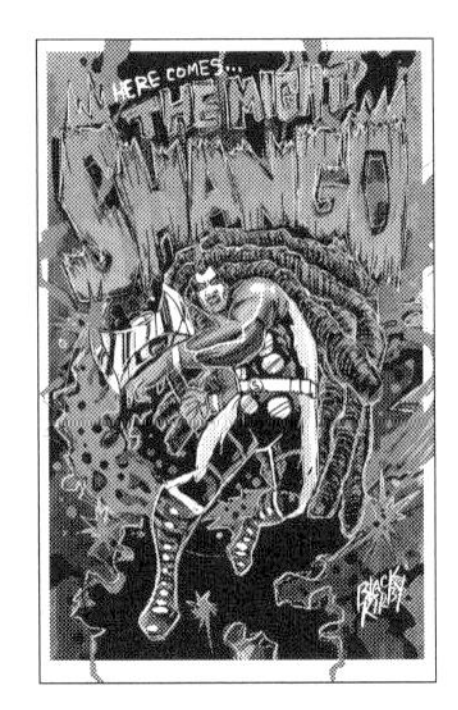

ブラック・カービー展に出展されたイラスト。左から「エグゼビア・キング」、「ギル・スコット＝フリー」、「マイティ・ジャンゴ」

ギル・スコット＝フリーというスーパーヒーローとして登場する。脱出を得意とするコミック・ヒーロー、ミスター・ミラクルことスコット・フリーの再解釈だ。「私たち黒人に対する一般的なイメージを打破することがテーマです」とジェニングスは言う。マイティ・ソーは、ヨルバ族の神に敬意を表してマイティ・シャンゴにリメイクされた。「我々はただの意識ではなく、二重の意識を持っている」という言葉とともに、ブラック・パワーの拳が浮かび上がるイラストもある。「アフリカ系アメリカ人は、アフリカ人とアメリカ人という二つのアイデンティティを一生両立し続ける」という「二重意識」の概念を作り出したW・E・B・デュボイスの言葉に遊び心を加えたものだ。

また、この展示では黒人とユダヤ人の経験も融合していた。「ジャック・カービーをはじめ、コミック・クリエイターにはユダヤ人が多かった。私たちは、ユダヤ人クリエイターと黒人クリエイターが持つ、共通の経験を考察しています」と語るジェニングスは、どちらのグループもアイデンティティ、文化的な責任、偏見と闘っているると指摘している。「私たちは、コミックを抵抗の空間として考えているのです」

アフロフューチャリストの芸術では、空間がテーマとなることが多い。宇宙空間、仮想空間、創造的な空間、物理的な空間。表立って語られることは少ないが、どんな空間であれ、自由で独創的な発想をするためには、とくに黒人の場合は単に作品を作るだけでなく、まずは作品を考えるための空間を作らなければならない、という同意がある。世のなかには、売買されて循環するイメージが溢れているようだ。そのなかにはステレオタイプもあれば、ステレオタイプとなるカウンターイメージもある。そしてこうしたイメージには、メディアにおける「ポジティヴ」と「ネガティヴ」のイメージを分ける議論が組み込まれている。

ブラック・エイジ・オブ・コミックス

ジョン・ジェニングスは、コミックを活用して黒人のアイデンティティやアフロフューチャリズムを形成することを提唱している。実際、彼とダミアン・ダフィーはインディペンデントな黒人コミック・アーティストの作品を収めたアンソロジー『ブラック・コミックス（Black Comix）』（二〇一〇）

を編集した。「アフリカ系アメリカ人のクリエイターが手がけた本や、そこで提示されている多様性に注目したかった」とジェニングスは語る。しかし、彼をはじめ多くのアーティストは、視覚的な語彙により多彩な黒人のイメージを加えることにも情熱を注いでいる。「あなたが白人ではなく、この国に住んでいるなら、自分を投影できるイメージに飢えているはずです」

二〇一二年四月に開催されたシカゴ・コミコンでは、インスティテュート・フォー・コミック・スタディーズが黒人のコミック・クリエイターに関するパネル・ディスカッションを主催し、私がモデレーターを務めた。パネリストは、スタンフォード・カーペンター（同団体の共同設立者で、『ブラザーストーリー（Brother-Story）』の作者）、ムシンド・クウンバ（『ジェイセン・ワイズ（Jaycen Wise）』と『バットマン・クロニクルズ（The Batman Chronicles）』のイラストレーター）、アシュリー・ウッズ（『ミレニア・ウォーズ（Millennia Wars）』の作者）、ターテル・オンリ（ブラック・エイジ・オブ・コミックスの創始者）。私はレイラ・イルマティックのコスチュームに身を包み、一〇〇人ほど集まったコミック・ファンの質問をさばいた。質問は主に黒人コミック・クリエイターの現状に関するものだったが、私が感銘を受けたのは、コミックを通じて結束し、詳細な知識を共有できる場を持てたことを誰もが心から喜んでいたことだ。彼らは、黒人のイメージに対して反感のある環境のなか、自分の居場所を切り開いている単独のアーティストではない。参加者たちは初めて、新たな可能性を秘めた自分たちのコミュニティが花開きつつある事実を喜んでいるようだった。

しかし、ブラック・コミックのルネッサンスは、ターテル・オンリの功績によるところが大きい。シカゴ出身のオンリは、一九六〇年代後半に商業イラストレーター／芸術家としてキャリアをスタートした。「周りのものに決して満足できなかったから、いつも未来のことを考えていました」とオンリは言う。「プロとして働き始めた時から、私はアフロフューチャリズムを取り入れた『リズミズム』という言葉を作り、SF、神秘主義、アフリカ的な思考様式から派生した先進的な環境について語りました。呪文や神秘主義、魔法を通じて、どんなことが起こりえるかを投影したのです。すでに確立されたものではなく、これから来たるものについて、芸術という見地から視覚的な語彙を持とうという取り組みでした」

オンリはパリで働いていた頃に、洗練された芸術様式としてのコミックに出会い、コミックを数冊出版すると、パーラメント／ファンカデリックのアルバム・ジャケットでもその才能を発揮した。その後、オンリは「コミックの黒人時代（ブラック・エイジ・オブ・コミックス）」というフレーズを生み出し、一九九八年には同名のコンヴェンションを立ち上げる。インディの黒人コミック・アーティスト支援を目的としたブラック・エイジ・オブ・コミックスは、現在も毎年シカゴで開催されているが、デトロイトのモーター・シティ・ブラック・エイジ・オブ・コミックスや、東海岸のイースト・コースト・ブラック・エイジ・オブ・コミックスなど、全米各地で提携組織のコンヴェンションが行われている。

オンリによれば、今日のアフロフューチャリズムのヴィジュアルは一九六〇年代から七〇年代にかけて起こったブラック・アーツ・ムーヴメントの芸術に根差しているという。ブラック・アーツ・ムーヴメントは、ブラック・パワー・ムーヴメントの芸術部門と言えるもので、ポスターやフライヤー、アルバム・ジャケット、芸術作品でアイコニックなイメージを生み出し、ブラックネスを定義した。このムーヴメントは、公民権運動と相まって、アメリカ、アフリカ、カリブ海諸国で黒人の意識を呼び覚ました、とオンリは語る。「私たちは、アフリカを包含した黒人の文化的ムーヴメントを作りたかった。ブラック・アーツ・ムーヴメントで大きな割合を占めていたのは、ニグロからブラックへの自己認識の移行です。それは革命でした。時代は変わりませんでしたが、私たち民衆が変わりました。抑圧されることを拒んだのです」

黒人は自身を「ニグロ」から「ブラック」と称するようになり、この進化によって芸術の意識も新時代を迎えた。ブラック・アメリカンの文化全般が自ら名称をつけ、アート・シーンを変えつつあったポップ・アートのなかで、アフリカの美意識を視覚的に讃えようとしたのは初めてのことだった。

「ブラック・パワー革命以前は、アフリカのものはすべて劣っていると考えられ、話題にすべきでないとされていました。アメリカで起こったブラック・パワー・ムーヴメントが、みんなの考えを変えたのです。これで思考が解放されました。自由な発想なくして、創造性は得られません。アフロフューチャリズムはブラック・アーツ・ムーヴメントの大成功による副産物だと思います」。オンリによれば、このムーヴメントを抑え込もうとする妨害も多かったそうだ。

芸術家は、自分の作品を分類されることを必ずしも喜ばないが、ムーヴメントやスタイルに名前をつけることは、きわめて重要だとオンリは感じている。「ジャズという音楽様式を作らなければ、ジャズの才人として頂点を極めることは難しい。しかし、視覚芸術となると、私たちはジャンルを語ることに抵抗を感じ、情熱を語っています。しかし、エリザベス・キャトレットとヴィンセント・ファン・ゴッホには違いがあり、その違いは情熱だけではありません。キャトレットは作品のなかでさまざまなことをやっていますが、それに名前がついていないのです」

スターシップ、アウトキャスト、夢のなか

ノースウェスタン大学のアレクサンダー・ワヘリイェは、アフロフューチャリズム初期のメーリングリスト時代を振り返り、当時集まったアイディアを思い出すと、視覚芸術の分野でアフロフューチャリズムが台頭したことに一番の驚きを感じるそうだ。「ミュージック・ヴィデオでもっと人気が出ると思っていました」と彼は語る。しかし、アンダーグラウンドからメインストリームに移行したイメージが、必ずしもその象徴的意味を保持するわけではない。例えば、今日のTシャツに描

かれた黒い拳が、六〇年代のデモ参加者が掲げたような激しさと意味を持つとは限らないのだ。「視覚的な文化は、その起源とは何の関係もなく取り入れられやすい」とD・デネンゲ・アクペムは語る。「とくに黒人の場合、内輪でやってきた素晴らしいことの一部またはすべてが転用され、黒人以外の大金稼ぎに使われてきたという長い歴史があります」と彼女は強調する。

ミュージック・ヴィデオは、現代の音楽を説明する主要なイメージとなっている。いまやアルバムやCDのジャケットを超えたパワーを持つようになったミュージック・ヴィデオは、音楽的なストーリーを語る標準的なマーケティング手段となっている。想像力、テクノロジー、自由の相乗効果を考えた場合、ヴィデオは音楽的なストーリーを語る上で理想的なフォーマットだ。ミュージシャンは、アフロフューチャリズム、サイバーカルチャー、ロボットの美学、さらにはハリウッドのSF映画をミュージック・ヴィデオに取り入れている。マーケティングとセールスはもちろん重要だが、アーティストのなかには、アフロフューチャリスティックな美意識を用いて野心的な試みを強調し、それを自身のブランディングや音楽的アプローチの主要テーマとしている者もいる。

〈Daydreamin'〉（二〇〇六）のミュージック・ヴィデオで踊るロボットと共演していたルーペ・フィアスコは、シカゴの建築物を愛する父親の影響でロボットに憧れるようになったと語っている。「この街の建物をすべて組み合わせたら、ロボットになるぞ！」と父親から言われ、そのイメージが少年時代の空想を掻き立てたという。「自分の周囲を見る新しいレンズを与えられました。普通を非凡に変える貴重なツールです」と、コンシャスなリリックと言葉の巧みさで知られるフィアスコは言う。「このエキゾチックでエキサイティングな新しい視点のおかげで、キャリアを築くこともできたし、常にインスピレーションを与えられてもいます。すべてがどうやって組み合わさって、どの建物が腕や脚になるだろうかなんて、今でも考えているし」[4]。

ネオソウルの女王で知られるエリカ・バドゥは、優美な地球の母、革命家、宇宙をまたにかける女性を演じる。アフロフューチャリズムが形作られている時期にデビューした彼女は、量子物理学、マザーシップ、革命といったイメージや言葉を音楽やヴィデオのなかで頻繁に使っている。〈Next Lifetime〉(一九九七)のミュージック・ヴィデオで、彼女は植民地時代以前のアフリカから、ブラックパンサー党員のいるアメリカの小さな街、西暦三〇〇〇年を過ぎたアフリカにいたるまで、ソウルメイトたちを追いかけている。未来のアフリカはユートピアで、古代アフリカに倣い、自然をベースにした慣習と普遍主義を取り入れている。暗闇で光る儀式用の塗料と伝統的なヘッドスカーフも印象的だ。万華鏡を多用した〈Jump Up in the Air (Stay There)〉(二〇一〇)のヴィデオでは、時間のなかを浮かびながら瞑想するバドゥが空間をワープし、煙のなかにいるラッパーのリル・ウェインと並ぶ。バドゥとウェインは光る指先を合わせ、『E.T.』の名シーンを再現。ヒップホップ界の対極にいるとみなされることも多い二人の結束が表現されている。

パーラメントのようなカラフルな衣装で知られているのは、アウトキャストのアンドレ3000

だ。〈Prototype〉（二〇〇三）のヴィデオに登場する彼は白い髪の奇抜なエイリアンで、多民族の家族とともに地球に降り立つと、地球人と恋に落ちて人間となる。

ジャネール・モネイの〈Many Moon〉（二〇一〇）は、架空のメトロポリスで活動するアンドロイドを描いたヴィデオだ。ファシズムを終わらせようと訴えるこの曲では、モネイがさまざまなアンドロイドを演じ、ファッション・ショウ、奴隷オークション、大盛況のコンサートが融合したかのようなシーンが展開される。R&Bシンガーのビラルが歌う〈Robots〉（二〇一〇）は、目を覚ませと社会に警鐘を鳴らす。ミカエル・コロンブが監督したヴィデオは、月の3D映像を収め、機械製造されたビラルが画一的な社会を批判している。

ポップの世界でも、アフロフューチャリズムは取り入れられている。自身の曲のなかで「エイリアン」を自称してきたリル・ウェインは、映画『インセプション』（二〇一〇）のシーンを〈6 Foot 7 Foot〉（二〇一二）で再現。目覚ましの平手打ちでヴィデオをスタートしている。ニッキー・ミナージュのテクノ・ヒップホップ〈Starship〉（二〇一二）では、未来的なポリネシア風ダンス・パーティが繰り広げられる中、空には宇宙船が飛んでいる。ブラック・アイド・ピーズの〈Imma Be Rocking That Body〉（二〇〇九）では、コンピューターで作られた音楽、踊る巨大ロボット、ブレイクダンサーが登場する夢のシーンで、デジタル化されたメンバー四人の姿が映し出される。

ソック・イット・トゥ・ミー——ミッシー・エリオットの台頭

ミッシー・エリオットは、とくに二〇〇二年から二〇〇八年にかけて、独創的なヴィデオを発表したことで知られている。プロデューサーとアーティストを両立する彼女は、女性シンガーに求められる煌びやかなイメージに逆らった。ポップ・スターの美を再定義し、お仕着せのセックス・アピールに頼らない女性アーティストの系譜に加わったのだ。エリオットは、宇宙やSFについて歌ったわけでもなければ、解放をテーマとした音楽を作ったわけでもないが、ミュージック・ヴィデオのなかで、認知的不協和を用いたアブストラクトなラップ・スタイルを採用した。

エリオットは、アン・ピーブルズの〈I Can't Stand the Rain〉(一九七四)をサンプリングし、シンコペーションの効いたゲーム・トラックに転化した〈The Rain (Supa Dupa Fly)〉(一九九七)でソロ・デビューを果たした。スターが勢揃いしたこのヴィデオを監督したハイプ・ウィリアムズは、黒いゴミ袋にインスパイアされた摩訶不思議な衣装をエリオットに用意した。彼女の台頭によって、ミュージック・ヴィデオの新時代が幕を開けた。彼女の代表的なヴィデオの大半はデイヴ・マイヤーズが監督しており、シュルレアリスムを背景に、ホラーや名作映画のイメージ、SF、歴史的ファンタジー、一九八〇年代のヒップホップなどを融合し、そこに流行りの振り付けを加えている。〈Pass

That Dutch〉（二〇〇三）では映画『ウィズ』（一九七八）を模し、UFOの光の下で輝きながらヒップホップを踊る案山子と並んでいる。ラッパーのダ・ブラットと共演した〈Sock It 2 Me〉（一九九七）では、「ロックマン」にインスパイアされたヴィデオゲーム的な宇宙空間で、ラップする宇宙飛行士に扮している。〈Lose Control〉（二〇〇五）では、時間を超えたオルタナティヴ・ヒストリーが作り上げられた。二一世紀の音楽に合わせて踊っているのは、オーバーオールや白いマキシロングのスカートを着たスチームパンク時代のダンサーたち。セピア調の映像と、二一世紀のヒップホップ・ダンサーが交互に映し出される。しかしエリオットによれば、自身がヒーローとして崇めるキング・オブ・ポップが確立した創造性の極致を目指しただけだという。

ムーンウォーカーの隆盛

マイケル・ジャクソンほど、世界の想像力を掻き立てたアーティストはいない。当代最高のエンターテイナーで、スーパースターの真髄と評されるジャクソンは、ポップ・ミュージックの新たなスタンダードを確立し、ブラック・ミュージックを世界のポップ・ミュージックに浸透させた。彼の偉業を助けたのが、音楽業界に革命をもたらした新たなメディア、ミュージック・ヴィデオである。ポッピングやロッキングをしながらダンスを楽しむゾンビが印象的な〈Thriller〉（一九八三）のヴィデオは、高度な振り付けを盛り込んだミニホラー映画だ。この曲によって、音楽を宣伝するためのツールに過ぎなかったミュージック・ヴィデオは、正真正銘のアートフォームへと昇華された。ジャクソンは、宇宙について歌ったり、その歌詞で現実を覆したりはしていないため、サン・ラーやパーラメントと同類のアフロフューチャリストとはみなされていない。しかし彼の音楽は、インスピレーション、普遍的な愛、人間性、慈悲、地球の意識、純真さを歌っていた。彼のヴィデオは、豪華絢爛な映像トリックを利用した科学と魔法のハイブリッドだ。

音楽とショウマンシップを融合した彼の手法は、ミュージック・ヴィデオに革命を起こした。彼はあらゆる年齢層を魅了する作品を頻繁に発表し、彼のヴィデオやテレビ出演は、世界的なイヴェントとなった。

そして、彼は夢を使って曲作りをしていた。「夢から覚めると、『わあ、これを書いておかなきゃ』って思う」と彼は「ローリング・ストーン」誌に語っている。「すべてが不思議なんだ。言葉が聞こえてきて、すべてが目の前に現れる」[5]

一九八三年に開催された「モータウン二五周年記念コンサート」は、ジャクソンが「ムーンウォーク」を初披露したことで、人びとの記憶に焼きついている。後方に滑るように足を動かすこのダンスは、ジャクソンのトレードマークとなり、世界中の何百万という人びとがこのダンスを真似し

マイケル・ジャクソン『Michael』

ようと試みた（上手い下手は人それぞれだったが）。現在でも、見る者を圧倒するダンスである。その約一〇年前、彼はジャクソン5と〈Dancing Machine〉（一九七三）をレコーディングし、テレビ番組「ソウル・トレイン」でロボット・ダンスを披露している。マイケル・ジャクソンのように踊れる者はいない。また、宇宙時代のSFダンスにぴったりの名前を冠した「ムーンウォーク」や「ロボット」を体現できた者も、彼以外にいないだろう。

常に注目の的だったジャクソンは、想像力に富んだ未来の可能性を盛り立て続けた。「僕は願いを信じているし、願いを叶える人間の力を心の底から信じている。願いごとって、単なる願いじゃなく、顕在意識と潜在意識を使って実現できる目標なんだ」と彼は語っている。九〇分のミュージカル映画『ムーンウォーカー』（一九八八）は、ジャクソンが〈Smooth Criminal〉（一九八八）の姿で踊り、後にトランスフォーマーのように変身して巨大な宇宙船になるという、おとぎの国のファンタジーだ。妹のジャネットとの人気デュエット曲〈Scream〉（一九九五）のヴィデオは、『2001年宇宙の旅』から着想を得ており、小さなCDプレーヤーに似た簡素な宇宙ステーションのなかで踊り、ヴィデオゲームをする二人を映している。壮大なジャクソンの音楽とヴィデオは時代を超越しており、彼を不滅の存在にしている。セガのヴィデオゲーム「スペースチャンネル5」

は、ダンス・ムーヴで「時空を超える」キャラクター、「スペース・マイケル」として彼を描いた。死後にリリースされたアルバム『Michael』（二〇一〇）のジャケットは、象徴的なモチーフが並ぶコラージュだが、そこに空飛ぶ宇宙船が写っているのも納得のいく話である。

タイムトラヴェラーのための時計

アフロフューチャリズムとタイムトラヴェル

A Clock for Time Travelers

アフリカ系アメリカ人の社会には、あらゆる文化的な特性や個人的な進化が、歴史的な系譜のなかで再構成されるのを予見させる何かがある。予言や、未来を語るという概念、過去が現在に影を落とすという決まり文句など、多くの人びとは必要に迫られて、あるいは話の流れに乗って、未来と過去と現在が一体であるかのように語る。これらを束ねる糸は、簡単な言葉のツイート、音楽のコード、熱のこもったスピーチ、古代エジプトのシンボル、聖書の言葉、星明りの夜、超ひも理論など多岐にわたるが、どれにも共通しているのが、思考の力、言葉、想像力は時間を超越できるという考えである。適切な言葉と行動は、未来を作り出せるだけでなく、過去を塗り替えることもできる。こうした時間の周期的な性質と、時間に関する考察は、アフロフューチャリストにとってお気に入りのテーマで、話題の中心でもある。

タイムトラヴェルは、SFで人気のテーマだ。H・G・ウェルズの『タイムマシン』（一八九五／邦訳一九六二、早川書房ほか）や傑作映画『バック・トゥ・ザ・フューチャー』（一九八五）など、時計を巻き戻したり、未来に早送りしたりというコンセプトは、世界有数の学者、クリエイター、科学者の好奇心を掻き立ててきた。事実、タイムトラヴェルというアイディアはポップ・カルチャーにも深く根づいているため、普通のタイムトラヴェルでは、もはや陳腐だと思われるほどだ。過ちを「修正」しようと過去に一足飛びしたものの、未来を台無しにしてしまい、再びデロリアンで過去に戻らざるをえなくなったキャラクターは、どれほどいるだろう？　時間を変えようとする善意の試みによって、主人公がパラレルワールドに閉じ込められたことが、何度あっただろう？　SFファンやポップ・カルチャー愛好家のあいだでは、タイムトラヴェルの道徳と倫理が激しく議論されてきた。量子物理学や量子力学といった新しい分野ですら、時間は相対的なものであるという前提を推定している。『超次元の成功法則――私たちは一体全体何を知っているというの!?』（二〇〇四）など、量子物理学や空間と時間に関する新発見をテーマにしたドキュメンタリーの人気は、タイムトラヴェルの豊富な可能性をさらに示している。

「現在、物理学者が発見しつつあることは、あまりに奇妙で、まるでSFに思えるほどです。科学の話ではない気がしてしまう」と、物理学者で著述家のフレッド・アラン・ウルフ（別名、ドクター・クワンタム）は語っている。[1]

タイムトラヴェル、パラレルワールド、マルチヴァース、ヒッグス粒子の研究は急速に発展し、SF界で最高峰の概念と衝突しようとしている。タイムトラヴェルは、アフロフューチャリズムでも大きな影響力を誇る。タイムトラヴェルする家族を描いた楽しいコミックや、映画『スペース・イズ・ザ・プレイス』でタイムトラヴェルを音楽的な装置として使ったサン・ラーなど、タイムトラヴェルはアフロフューチャリスティックな作品のなかで広く受け入れられているツールだ。

しかし、アフロフューチャリストにとって、タイムトラヴェルの概念は、現在を縛り直近の過去を定義しがちな「人種に基づく制限」というプリズムを消し去るものでもある。「アフロフューチャリストは、時間という制約に閉じ込められている気がしています」と、教授でアーティストのD・デネンゲ・アクペムは語る。「時間をコントロールし、時間のなかにいる自分の立場をコントロールできれば、歴史の流れと自分の歴史をコントロールできると考えられています。アフロフューチャリストは、新たなヴィジョンを作り出します。未来のヴィジョンを新たに描ければ、過去のヴィジョンも新たにできるからです」。タイムトラヴェルはまた、後悔を和らげることもできるという。「これで自分がエンパワーされます。自分を作り変え、現実を作り変えるのですから」

音楽、欲求、思考を通じて伝えられるパラレルワールドは、アフロフューチャリスティックなアーティストがよく扱うテーマだ。「多くの人びとは時間に囚われていると感じており、時間を直線として見ています」と語るのは、ラシーダ・フィリップス。フィラデルフィアの非営利芸術団体、アフロフューチャリスト・アフェアの創設者だ。「みんな、未来も過去もコントロールできないと感じています。私がアフロフューチャリズムに関わる理由は、時間を循環するものとして考える手助けをするためです。この循環によって過去が変化するのを支援するのです。自分の未来を変えるには、どうすればこの循環をより強力に使うことができるでしょうか？」

タイムトラヴェルの奇跡

ジェイセン・ワイズは、インディ・コミックのなかでもとくに人気のある黒人キャラクターだ。永遠の命を授けられた彼は、時空の制限を超越する。学者で戦士でもあるワイズは、「ヒーローが憧れるヒーロー」で、「アフリカの帝国、クッシュの最後の息子」でもある。彼は光と知識を守りながら、無知と戦わなければならない。古代エジプトで戦うこともできれば、現代のマンハッタンで貴重なダイヤモンドを取り戻すこともできる。ワイズは、どこにでも行ける能力を有しているのだ。「想像力の限界を押し広げるような、革新的な作品を作りたいと強く思っています」と、ジェイセン・ワイズを生み出したユリーアスは『ブラック・コミックス』で語っている。[2]

SFにおける黒人キャラクターを作る上で大きなジレンマとなるのは、現代の文脈のなかで人種をどのように扱うか、という点である。タイムトラヴェル、不老不死、輪廻転生、パラレルワールドは、物語と読者の双方に力を復活させ、歴史の制限を超えるワームホールを作り出す。アフロフューチャリズムがファンタジーとマルチヴァースで埋める歴史と知識の大きな穴には、主人公が経験する究極の冒険のナラティヴを再構築することによって、ストーリーが持つ最高の力が存在する。

ドクター・クワンタムは、タイムトラヴェルの可能性と自身の科学的発見から学んだことを尋ねられると、こう答えた。「過去は未来と同じくらい創造されている。過去の犠牲者になる代わりに、過去、現在、未来を創造する立場になれば、魔術師になれます」[3]。サン・ラーも報われた気分になるだろう。そう感じるのは、彼だけではないはずだ。

「時間は直線ではありません」と、グラフィック・ノヴェル作家のラディ・ルイスは言う。「二つの時点が重なり合うよう、時間を畳むことができるような気がしています。目を閉じれば、あなたも子どもの頃を思い出せる。過去にタイムトラヴェルしていないとは、誰にも言えないでしょう?」ルイスは『フェニックスの子どもたち(Children of the Phoenix)』(二〇〇八)というグラフィック・ノヴェル(の原作)を書いた。「自分の家族、妻、犬をモデルにしました」と語るルイスはニューヨーク州出身だが、先ごろアリゾナ州に居を移した。『フェニックスの子どもたち』は、フェニックス家の物語だ。両親はアダムとイヴの生まれ変わりで、五人の子どもたちの保護者とされている。「陳腐に聞こえるかもしれませんが、私は妻に対してこんな風に感じています。妻とは一四歳からの付き合いです」とルイス。フェニックス家は不死身ではないが、エネルギーのように「破壊されても別の形で再び姿を現す」という。「一家が生まれ変わるたびに、謎の人びとが彼らを追いかけ、彼らは人類のために自らを犠牲にするのです」

癒しの時

南北戦争前の南部に戻って、奴隷制の残虐さを体験したいと思う人はいないだろう。ディストピアな未来の怖さなど比ではない。大西洋奴隷貿易は、たとえそれが想像上のものであっても、集合記憶が行きたがらない場所である。しかし、オクテイヴィア・E・バトラーは、大作『キンドレッド』で、ヒロインをアメリカの奴隷制下に送り込み、タイムトラヴェルの常識を覆した。「オクテイヴィア・E・バトラーの『キンドレッド』を読んですぐに現れる効果は、世界中にある他のタイムトラヴェル小説が物足りなく感じることだ」と、ジョー・ウォルトンは「Tor.com」に記している。[4]

バトラーが描くデイナは、一九七六年のカリフォルニア州で快適な生活を送っていたが、一八一五年の奴隷制プランテーションにタイムスリップしてしまう。ここで彼女は、奴隷の母と奴隷主の父を持つ少年をはじめ、自分の祖先に出会う。生きることが、彼女にとって最大の勝利となるのだ。

奴隷制は、ユートピア的な未来でもなければ、遠く離れた過去でもない。国を分断し、内戦を招いた悲劇は、現在の政治にもその影を落としている。奴隷制は恐れられている。歴史的な難題だ。南北戦争前の南部を舞台にしたタイムトラヴェル小説には美化したイメージなど存在せず、あらゆることが人びとの感情を激しく揺さぶる。奴隷制は死の探求と隣り合わせだが、死にすら小さな自由がある。

クエンティン・タランティーノが監督した二〇一二年の『ジャンゴ　繋がれざる者』は、マカロニ・ウェスタン、ロマンス、アクションの要素を融合した奴隷の復讐劇だ。この映画の大きな功績は、黒人の元奴隷が勝利するというハリウッドの英雄物語について、南北戦争前の南部を舞台に語り、歴史に即しながらも娯楽性を持ち、共感を呼ぶことができたという事実である。この作品はあらゆる常識を覆し、批評家の称賛と商業的な大成功を手にした。バトラーの『キンドレッド』は一九七九年に出版されたが、契約前には多くの出版社から却下されていた。奴隷制時代という不快な時代を舞台にし、黒人の主人公を擁するSF小説が成立するとは思われていなかったためである。しかしバトラーは、人間性と社会正義を高らかに宣言し、主張を通した。こうして、『キンドレッド』は歴史に残る名作となった。

『キンドレッド』をきっかけに、他にも奴隷制を題材としたタイムトラヴェル小説が登場するようになった。ハイレ・ゲリマ監督による自主制作映画『サンコファ（Sankofa）』（一九九三）もその例だ。モデルのモナがフォトセッションを行っていたのは、捕まったアフリカ人がアメリカに送られる前に収容されていたガーナの奴隷城。ここでモナは瞬時にタイムスリップし、中間航路を生き延びて奴隷となると、反乱を企てる西インド諸島の男性と手を組むようになる。タイムスリップ前は社会問題や歴史に関心の薄かったデイナもモナも、タイムスリップによって奴隷だったアフリカ人としての血筋をより深く理解した後、現代の世界に戻っていく。

デイナは科学的な手段でタイムトラヴェルをしたわけではないため、『キンドレッド』は厳密にはSFではない、とバトラーは主張している。『サンコファ』のモナにも同じことが言えるが、バトラーもゲリマも奴隷の生活の真実を教え、奴隷の経験を通じて主人公に義務感を植えつけるためのツールとして、タイムトラヴェルを利用している。二人とも、悲痛な過去との結びつきを示唆するために、タイムトラヴェルを利用したのだ。

アース・ウィンド＆ファイアーの「理由（リーズンズ）」

タイムトラヴェルは、楽しみながら黒人のキャラクターを時代の制約から解放する手段である。しかし、あまり知られていないが、タイムトラヴェルの要素は小説以外のジャンルでも人気が高く、ミュージシャンや理論家にもよく使われている。

「アフリカ系アメリカ人で、ディアスポラの黒人でもある私たちは、物事を周期的なものと考えます」とミュージシャンのショーン・ウォレスは言う。「私たちは時間を周期的なサイクルとして考え、過去のものを解釈します。音楽の作りかたも同じで、何かに立ち戻って、違った方法で再現できないかを考えています。もっと速くしてみよう、遅くやってみようって」。ウォレスは、アース・ウィンド＆ファイアーのモーリス・ホワイトと、同バンドが使っていたカリンバ（アフリカの親指ピアノとも呼ばれる）を例に挙げる。「彼はごくシンプルな楽器を使って、リズムの可能性を広げ、それが彼の音楽を変えた。私たちは常に、前に進むために過去に立ち戻るのです」

ヘブライ語の宗教的テキストを分析するミドラーシュの手法のように、アフロフューチャリストは現在と未来と変えるような方法で、常に過去の出来事を別の文脈で考察している。無関係に見えた出来事が、自由についての意識が進化することで結びつくこともある。オバマ大統領の当選は、キング牧師の影響が具現化し、作り直されたものである。希望は、オバマ大統領のなかに深く根づいたキャッチフレーズだ。彼の先達であるジェシー・ジャクソン師やキング牧師も、熱く語っていた言葉である。マルコムX、マーカス・ガーヴィー、フレデリック・ダグラスの文章を読むと、同じ人物が書いているという印象を受けるだろう。こうした声はどのように結びつき、未来を語るのだろうか？　ナラティヴそのものが、語り手よりも大きな影響力を持つのだろうか？

「私たちは、ここにいたった経緯を理解しようと努力し続けています。私たちはアメリカ人として、アフリカ系アメリカ人として、生活の急速な変化に対応しようとしています。私たちが生きているあいだに、家族構成も大きく変わりました。どちらが優れているという話ではなく、違いがあると言っているだけです。私たちはどうやってここまで来たのでしょうか？　流れていた音楽は？　見ていた演劇は？　流行っていたダンスは？　人生のある地点で、私たちはどんな文化を生み出していたのだろうか？　そこに立ち戻ることはできるでしょうか？　また、アメリカで特殊な経験をしてきた私たち黒人は、いまだに自分たちを組み立て直そうとしている途中だと思います。前に進みながらも、歴史の破片を摑み取ろうと過去に戻っているのです」

写真家のアリシャ・ワームズリーは、『逆移住プロジェクト（Reverse Migration Project）』に取り組んでいる。「タイムトラヴェルしてみようと、私は祖先が移住した土地を逆に追っています。ピッツバーグ―アパラチア山脈―ヴァージニア―ノースカロライナ―サウスカロライナ―バルバドス島―西アフリカのケープ・コーストという順序です。そこまで辿りついたら、私は何かを創造します」と彼女は記している。

古代から未来へ

アフリカ大陸は、母なる地球の始まり（アルファ）と終わり（オメガ）、理想の未来と過去の宇宙的なメタファーとして、頻繁に登場する。これはアフロフューチャリスティックなコミックアート、音楽、文学でも顕著だ。「古代から未来へ（Ancient to the Future）」のモットーを掲げるAACMは、過去と現在の楽器を演奏しながら、古代から存在する音楽的な癒しの伝統を教授する活動を行っている。「（音楽は）現実的にも比喩的にも、タイムトラヴェルのポータルなのです」とAACMの会長を務めるキャリ・Bは語る。「アメリカを出たことのないアフリカ系アメリカ人は、アフリカを未来のように感じています」と言うのは、ミュージシャンのモーガン・クラフトだ。彼は、アフリカで素晴らしいことが起こると信じている。ムシンド・クウンバは、仮面を被って刀を振り回す侍のような「アニク」や、黄金のマントとアフリカのステッキがトレードマークの「デメケ」などのキャラクターを描いているが、その見事なイラストは、古代アフリカの過去のイメージなのか、遠い未来の惑星のイメージなのかわからない。その理由はアフリカを未来と感じているからだ。「私たち黒人アーティストは、自分たちの壮大な過去と、それが再び何になりえるかを理解しようとしているのでしょう。未来のエデンの園は、アフリカにあるのです」とクラフトは言う。

キャリ・Bは、未来の卵を背負い、後ろを振り返る鳥を描いたアシャンティ〔ガーナの州。かつてはアシャンティ王国として栄えた〕のイメージを引き合いに出して、「これがサンコファ効果です」と語る。「後ろを振り返りながら、未来に足を踏み出す。私たちは後戻りしているのではなく、私たちがここにいる理由となる長所や特徴を利用して、進化しているのです。未来を作るために、過去を呼び戻す。より正しく未来に向かえるよう、古代の伝統に立ち返る。これがアフロフューチャリズムなのです」

しかし、タイムトラヴェルの概念は、不思議なことに、現在をも強調する。「時間を折り畳むことができない今という時点で、私たちはタイムトラヴェルについてどう考えるべきでしょうか？」と「ブラック・カービー」展の共同クリエイターを務めたアーティストのステイシー・ロビンソンは問いかける。「私たちは今という時点で、どうやってタイムトラヴェルするのでしょう？」と疑問を呈しながら、現在に留まることで、責任が強調されると付け加える。タイムトラヴェルの仮説的概念でも、現在は変わる。「私は、旅する人物の延長として、タイムトラヴェルを捉えています。タイムトラヴェルは、自分にどんな影響を与えるのだろう？　というように」

ロビンソンは正しい。今日が未来の過去であるならば、それは現在について何を語っているだろう？　今現在の我々は、何者なのだろうか？

10

超現実的な日常

アフロシュルレアリスム

Agent Change

D・スコット・ミラーは、アフロフューチャリズムに魅了された詩人／芸術家だ。実験的な「ノクターンズ・リテラリー・レヴュー」誌の顧問として、彼は当初からアフロフューチャリズムに没頭した。サンフランシスコ在住のミラーは、アロンドラ・ネルソンのアフロフューチャリズム・メーリングリストの常連で、後に東海岸のコレクティヴ、「ブラック・フューチャリスツ」と意見交換もした。それでも、ミラーが「ノット・フロム・ヒア（Knot Frum Hear）」を書き始めた時、これをアフロフューチャリズムと呼ぶのが最適なのかわからなかったという。「SFのようだが、SFではない。ファンタジーのようだが、リアルタイムの出来事だ」と友人に説明していたそうだ。しかし、ブラック・アーツ・ムーヴメントの先鋒となったアミリ・バラカがヘンリー・デュマスの「骨の箱舟（Ark of Bones）」（一九七四）を紹介している文を読み、「アフロシュルレアリスム」という言葉を知った。

デュマスのハイブリッドで超自然的な視点は、アフロシュルレアリスムだ。バラカはそう主張し、デュマースは「この世界と有機的に繋がっている、まったくの別世界を創造した」と評した。彼は「ヘンリー・デュマス――アフロシュール表現主義者（Henry Dumas: Afro-Surreal Expressionist）」と題したエッセイのなかで、「それは道徳的な物語であり、魔法と共鳴する夢の感情やイメージ、さまざまな得体の知れぬ恐怖、神秘、暗黙の啓示である」と記すと、「しかしこれらは、今であれ、いつであれ、現実の生活の物語でもある。超現実性と詩で構成されおり、本質的なテーマの同時代性は明らかだ」

と続けた。アフロシュルレアリスムは、ゾラ・ニール・ハーストンが描いた南部の民間伝承（フォークロア）や魔法、トニ・モリスンが綴った幽霊と歴史を説明するようになった。

　アフロシュルレアリスムは、ミラーにも新しい世界観を開いた。それは、彼の作品のなかにある、現代を舞台としながらも漂う超自然的な傾向を説明するものだった。二〇〇二年、ミラーはバラカに連絡を取り、インタヴューを行った。ミラーの興奮ぶりに喜んだバラカは、若き詩人を激励した。「君なら進んで探求を続け、扉を開き続けることができる、と言われました」とミラーは語る。「追い風を受けた気分になって、あの言葉を本気で受け止めました」

　ポップ・カルチャー・ライターでもあるミラーは、芸術に関するエッセイを数多く執筆し、映画や音楽のなかに見受けられるアフロシュルレアリスムに言及した。「編集者が『それは何？』と興味を持ったことがきっかけで、「サンフランシスコ・ベイ・ガーディアン」紙のアフロシュルレアリスム版を作ることになりました」。二〇〇九年に発行されたこの号には、グレッグ・テイト（ヒップホップとアフロフューチャリズムの評論で知られている）やエイミー・ワイリーのエッセイや芸術作品が掲載された。しかし、シュルレアリストの新たな波の礎となったのはミラーの「アフロシュルレアリスム宣言（マニフェスト）」だった。一九二〇年代のハーレム・ルネッサンスや、フランス語圏の黒人によるネグリチュード・ムーヴメントに言及しながら、アフロシュルレアリスムには、その幻想的な形態のすべてにおいて、アフロフューチャリズムでも、シュルレアリスムでもないと論じた。第一世界と第三世界は崩壊した、と宣言は語る。私たちが生きているのは、アフロシュールなのだ。

「アフロシュルレアリストは、『現在』という『未来の過去』からこれを暴露する」とミラーは記す。「現在、バラク・フセイン・オバマはアメリカ初の黒人大統領である。現在、アフロシュルレアリスムは、異性愛者の白人男性が支配する西洋文明の『褐色化』が生み出した反応、屈服、紆余曲折、予想外の展開を表現するのにもっとも適した言葉である」

「これは両極端の中間にあるものだと心から信じています。人びとの安全地帯から外れたところにあるのです」とミラーは言う。

宣言の教義は、時代の美しさと二極対立を描くうえで、見えない世界や自然、不条理や気まぐれを讃えている。「アフロシュルレアリストは、唯一の正当な破壊の手段として過剰を使い、不服従の形として雑種形成を用いる」とミラーは記す。「アフロシュルレアリストは、美しいもの、官能的なもの、突飛なもの、つまりロココを追求している」。仮面、ダンディズム、一八世紀の美学を強く好むアフロシュルレアリスムは、現在の時間をその文脈から切り離して考える。シュルレアリスト詩人のエメとシュザンヌのセゼール夫妻の言葉を借りれば、アフロシュルレアリスムは「驚嘆すべきこと」で輝いている。ミラーによれば、「未来ではなく今日に重点を置き、最小限のテクノロジー、重厚なフォークロア、超自然的なプリズムを使うことで、独特の美学を生み出しているという。

ミラーは何かに気づいていた。今は超現実的な時代だ。オバマ大統領の当選と、それに対抗する運動に、過激なメディア。過去の遺産のような古い言葉を使わずに、現状と折り合いをつけられないアナリストやジャーナリストの混乱。まるで往年のＳＦを思わせる光景だ。黒人大統領の再選、同性婚・マリファナの合法化、女性の生殖権をめぐる争い、暴力の勃発、「アラブの春」、階級教育、アメリカの有色人種化によって、今日の社会は真剣な見直しを迫られている。激しい怒りと猛烈な喜びが重なり合って噴出し、素晴らしい芸術が生み出されている。

「サタデー・ナイト・ライブ」は、前代未聞の政治パロディで歴史的な偉業を成し遂げたが、愉快なスキットの大半は、大統領選の討論会や記者会見をそのまま引用しただけだ。風刺は必要ない。二〇一二年の共和党全国大会の椅子騒動を見た人にとってみれば、俳優のクリント・イーストウッドが、大統領に話しかけるていで、空いた椅子を叱りつけていたあの即興劇こそがシュールだった。大会中、何千人もの人びとが携帯電話やiPadを使い、誰も座っていないレイジーボーイの椅子を指さして自撮りをし、その写真をツイートしていた。これに対し、オバマ大統領のアカウントは、ホワイトハウスの椅子に座っているオバマの写真をツイートした。後ろ姿で、頭と耳の輪郭は見えている。写真には、こんなキャプションが添えられていた。「この椅子は空いていません」。反論の余地のない、最高のツイートだ。翌日、政治メディアが話題にしたのは、イーストウッドの椅子の話だけだった。党の綱領も、その夜の登壇者も差し置いて、椅子が大会の主役となった。これが現実でなければ、奇妙な世界のオルタナティヴ・ヒストリーのように思えるだろう。フォークロア的な栄光のなかで、劇的な勝利と急変する政治状況をリアルタイムで捉えること。それはアフロシュルレアリスムだ。

事実、ミラーはオバマ大統領誕生による激変がなければ、あのマニフェストを書くことはできなかったという。「あの激変は、モジュールの変化と、その変革でもたらされた結果の不条理さを強調しています。ビル・オライリーが、アメリカはもはや白人の国ではないと言った時のように……アメリカは長いあいだ、白人国家ではなかったというのに」

今もこれからも

アフロシュルレアリスムについて考える時、私はサン・ラーの作品を右脳／左脳、男性／女性のハイブリッドに分けて考える。あらゆる未来的なもの、宇宙的なもの、電気的なものに対するサン・ラーの愛を一方に、アフリカの神話創造、形而上学、音楽を通じて人びとを癒すために現実世界で取り組んだ彼の努力を他方に置いてみるのだ。

彼を二分しようとする試みはきわめてSF的だが、これは格好の例となる。ミラーの定義するアフロシュルレアリスムは、ローテクかつ現代的で、夢の世界と現実の世界の違いをほとんど認識しない。「他の文化にとって、夢の時間と現実の時間は、同じ時間なのです。夢とは予感であるという考えは、誰もが持っているものです」とミラーは言う。

「潜在意識を利用するということではありません。すでに利用しているのです。あなたは、夢、空想、驚異を持ち込んでいます。寝ている時も、起きている時も、あなたは思考を現実化している。人びとは、自分の生きている状況を変える能力を持たなければならないのです」

シュルレアリスムとの違いは、非常にスピリチュアルな傾向が強いという点だけだ。セネガルの初代大統領で、詩人でもあるレオポール・セダール・サンゴールは、初期の黒人シュルレアリストとヨーロッパのシュルレアリストの違いに気づいた。ヨーロッパのシュルレアリスムが「経験的」であるのに対し、アフリカのシュルレアリスムは「超自然的で隠喩的」だと考えたのだ。

その他のアフロシュールとは？　ケヒンデ・ワイリーが花柄を背景に現代の黒人男性を描いたルネッサンス調の絵画や、カラ・ウォーカーが奴隷制時代のステレオタイプを描いて物議を醸したヴィクトリア朝風の影絵は、この系統に入るとミラーは言う。ワイリーは、ヒップホップ的なルックスの男性を、一六世紀から一七世紀のフランスの王、騎士、侯爵に見立てた。ウォーカーの影絵は人気を博したものの、激しいセックスと暴力を大きなサイズで描いているため、不謹慎で侮辱的だと厳しい批判を浴びた。

「アフロシュルレアリスムでは、不条理を真正面から取り上げることができます」とミラー。「それが目的なのです。カラ・ウォーカーは、その不条理さを理解しているのです。時には不適切な行動に訴えることも必要になってくる。状況があまりに不条理だからこそ、それに対処するには不条理になるしかないのです」

芸術家のニック・ケイヴによる「サウンドスーツ（Soundsuit）」は、アフロシュールである。作家のジョニー・レイ・ヒューストンは、モンスターサイズのウェアラブル・アートと彫刻を融合したケイヴの作品を「ＬＳＤでトリップしたビッグフット的な生物」と形容した。アルヴィン・エイリーの元ダンサーで、シカゴ美術館附属美術大学のファッション部門で理事を務めているケイヴは、天然素材と人工素材を組み合わせて巨大なコスチュームを作ったのだ。

ラッパーのニッキー・ミナージュの漫画的なハイファッション、ネオンカラーのウィッグ、コミカルな表情、多重人格。クエンティン・タランティーノ監督の『ジャンゴ　繋がれざる者』に含まれた社会批評、マカロニ・ウェスタンの暴力、ユーモア。ハリケーン・カトリーナ後の物語『ハッシュパピー〜バスタブ島の少女〜』（二〇一二）に登場するフォークロア。荒唐無稽なミュージック・ヴィデオ〈All Gold Everything〉（二〇一二）のなかで見せるラッパー、トリニダッド・ジェームズのやりすぎなまでの振る舞い。どれもポップ・カルチャーにおけるアフロシュールの例である。

アフロシュルレアリスムは、ミラーがマニフェストのなかで信条のひとつに挙げていたジェンダーの曖昧さとも戯れる。ポップ・スターのプリンス（一七世紀フランスの美学を一九八〇年代のファッションに取り入れたパイオニアだ）が有していた両性具有とダンディズムは、アフロシュルレアリスムに強い影響を与えている。アフロシュルレアリスムは、全般的な両義性を楽しむ。ラルフ・エリソンの『見えない人間』（一九五二）では、粋なポン引きで密売人のラインハートが預言的な暗黒街のボスとして登場し、流動的な地下世界に出入りしながら、主人公の知らなかった世界を教え、現実を曖昧にする。ミラーによれば、ラインハートのトレードマークとも言えるサングラスと帽子は仮面だという。アフロシュールでは、仮面が重用されている——ゴシックかつ土着的であればあるほど良いとされる。その理由は？　仮面は魔法のようなもので、つけている者を日常から引き離す。しかし、アフロシュルレアリスムは必ずしも派手で大袈裟なわけではない。スーザン＝ロリ・パークスの舞台や、彼女が黒人の生活を描いた現代劇も、アフロシュルレアリスムのジャンルに入る。

「アフロシュルレアリスムは、アフリカ系アメリカ人、アジア系アメリカ人、ラテン系アメリカ人、女性、クィアの人びとに与えられた既存の役割を定義する、静かな隷属を拒絶する。こうした分類を混合し、融合し、相互変換することによってのみ、解放への希望が生まれる。アフロシュルレアリスムは男性であり、女性である。アフロアジア的かつアフロキューバ的であり、超自然的であり、たわいなく、深遠である」とミラーは記している。

今日、アフロシュールな文章や芸術作品を世に送り出しているアーティストの多くは、アフロフューチャリストでもある。サン・ラーが双方の美学を体現していたように（ただし、彼はアフロフューチャリストとも、アフロシュルレアリストとも自称しなかっただろう）、二一世紀に続々と登場するアーティストも、両者を体現しているのだ。

しかし、サン・ラーと同じように両者の美学を表現しているアーティストでも、自身の作品のなかで、この二つを切り離すのは難しいと感じている。「その葛藤が好きなんです。どちらの言葉も、まだはっきりと定義が決まっていないところが」と語るのは、シックスティ・インチズ・フロム・ザ・センターのインタヴューに応えた有名コラージュ作家、クリスタ・フランクリンだ。「私はSFオタクで、ホラーや超自然的なものも大好きです。だから、私の作品がアフロフューチャリストでアフロシュルレアリストと評されるのも納得がいきます」

この二つは表裏一体で、影響を受けたものや、支持されている層も同じである。現在、この二つの美学は密接に絡み合っており、一方を語らずして他方を語ることは不可能に近い。アフロフューチャリストにとって、未来やテクノロジーは超自然的なものになりえる。グーグル・マップや人工衛星、家を暖めるエネルギーのパイプラインなど、私たちは現在、テクノロジーなしでは生きてはいけない社会に組み込まれており、テクノロジーに依存している。未来が今であるという時空連続体のなかで、今という概念を定義するのは難しい。しかし、強いて区別するとすれば、アフロフューチャリズムがテクノロジーに比重を置き、未来と遠い過去を行き来する一方、アフロシュルレアリスムはローテクで、一七世紀のファッションや仮面に心酔しながらも、現在と真っすぐ向き合っている。

骨の箱舟

作家で詩人のヘンリー・デュマスは、現代のアフロシュルレアリストの先駆けとなった人物だ。その功績は広く知られていないが、カルト的な人気は徐々に高まっている。一九三四年七月二〇年にアラバマ州スウィート・ウォーターに生まれた彼は、ハーレムのブラック・アーツ・ムーヴメントで、ライターとしてすぐさま頭角を現す。サン・ラーと作家のアミリ・バラカは彼の友人だったが、デュマスの作品は、当時のブラック・アーツ・ムーヴメントで発表された作品とは異なる独特の個性を持っていた。元空軍兵のデュマスは、サウジアラビア駐屯時にスーフィズムやアラブの芸術や神話を知った。彼は長年育んできた民俗学への興味と神秘主義の研究を組み合わせ、現代の愛と人生を主題とした詩や物語に織り込んだ。デュマスのレンズを通すと、幻想的なことや摩訶不思議なことは、日常生活の宝物だった。また、日常と非日常は、現代の黒人の経験を結びつけるテーマとして描かれた。彼の作品は「ニグロ・ダイジェスト」誌や「リベレーター」誌といった黒人文芸誌や、バラカと文化主義者のラリー・ニールが編集した黒人解放のアンソロジーにも掲載された。「骨の箱舟」は、もっともよく知られているデュマス作品だ。箱舟がアーカンソー州の川に着水すると、ヘッドアイはこの船の頭としての自身の運命を確認しようとなかに入る。箱舟のなかには、中間航路をはじめ、人種差別的な手段で死んだ黒人の骨が入っていた。

デュマスの人生を記録している人びとは、彼とサン・ラーの親密な関係に言及する。二人はスピリチュアルな考察や文化的な情報を交換し、時代の文化を形成する上で芸術が果たす役割について、独自の理論を語り合っていた。デュマスはサン・ラーの宇宙に対する考察に大きな影響を受け、サン・ラーも南部のフォークロアに魅了された。二人とも、超自然的な事柄に対する強い探求心を持っていた。一九六八年の春、デュマスはサン・ラーのバンド・セッションに参加した帰り道、ニューヨークの地下鉄で人違いされ、警官に殺害される。結婚して二児の父となっていた彼は、三三歳でその生涯を閉じた。

友人で詩人のユージン・レドモンドは、労を惜しむことなくデュマスの作品と思い出を世間に伝えた。一九七四年、彼は書籍『骨の箱舟』を編集し、その後はデュマスの詩や物語、未完の小説を集めてアンソロジーを作った。現在、デュマスはカルト的な人気を誇り、トニ・モリスンは彼を天才作家と評している。

二〇〇九年、歴史家のロビン・ケリーとシュルレアリストのフランクリン・ローズモントは、『ブラック・ブラウン＆ベージュ――アフリカとディアスポラのシュルレアリストによる著作物（Black,

Brown, & Beige: Surrealist Writings from Africa and the Diaspora)』を編纂した。世界のブラックシュルレアル・ムーヴメントを包括した同書は、ネグリチュード運動について、エティエンヌ・レロが率いたフランスのマルティニークの学生運動や、一九三二年に出版された「レジティメイト・ディフェンス」誌にまで遡っているほか、リチャード・ライトがシュルレアリスムから受けた影響についても記している。ラルフ・エリソンの『見えない人間』も、アフロシュルレアリスムと考えられている。ビートニク詩人のボブ・カウフマンと詩人／アーティストのテッド・ジョーンズも、ブラック・パワー・ムーヴメントのなかから登場した。二人ともシュルレアリストを自称し、カウフマンは今日、スポークン・ワード・ムーヴメントの先駆者として知られている。

『ブラック・ブラウン＆ベージュ』と「アフロシュルレアリスム宣言」は、新興アフロシュルレアリスム作品の柱となっている。デュマス／サン・ラーの関係と、二人が使った神話、神秘主義、文化は、アフロシュルレアリスムという美学と永遠に結びつけている。

ミラーのマニフェストに触発されたアレクサンドリア・エレグブは、シカゴのコロンビア・カレッジで「素晴らしき自由／欲望への警戒を再訪する（Marvelous Freedom / Vigilance of Desire, Revisited）」を監修した。二〇一三年一月から三月まで開催されたこの展示は、アフロシュュールな作品を手がける黒人の新進芸術家にスポットを当てた。しかしこれは、偉大なシカゴ・シュルレアリスト・グループと、一九七六年に開催されたこの種では最大の展示となった「素晴らしき自由／欲望への警戒（Marvelous

Freedom / Vigilance of Desire)」に敬意を表するものでもあった。二〇一三年の展示では、クリスタ・フランクリン、デヴィン・ケイン、スティーヴン・フレミスター、クリスティーナ・ロング、シーセル・マクドナルド・ジュニア、ケンリック・マクファーレン、ハンナ・ロドリゲス、チェルシー・シェパード、マイケル・トゥサナ、キャメロン・ウェルチ、エイヴリー・R・ヤングなどの作品が紹介された。

アフロシュルレアリスムの作品は増え続けている。二〇一〇年には、ジャマイカのネグリルでアフロシュルレアリスムの映画祭が始まったほか、ワシントンDCのサンバ・バンドは先ごろ、アフロ・サリーアルという名前を採用した。また、クリスタ・フランクリンはシカゴのコロンビア・カレッジでマニフェストを発表した。さらに、他の作家もミラーに倣い、アフロシュールなレンズを使うようになっている。

「世に出ているアフロシュールな作品に心躍らせています」とミラーは語る。マニフェストが実現するまで、彼の仕事は終わらない。アフロシュルレアリスムは、現代の倫理と未来の倫理について、境界線を引いている。これは、「大騒ぎされている世界の終わりはすでに訪れた」という、よく知られたサン・ラーの信条と同じである。未来が実際に現在なのか、あるいは未来が過去のようになるかは、今日の行動にかかっているのだ。

変革の担い手

アフロフューチャリズムとアクティビズム

Agent Change

見る者の心を動かしたい。常にそう考えているのが、アーティストの性分である。自分の作品で有意義な議題を提供したい、少なくとも見過ごされている事柄に光を当てたい、と彼らは考えている。自身の過激な小説や映画で、行動を促したいと思っているアーティストもいる。読者や視聴者が方向転換したり、現状から脱出したり、新しい時代のテクノビートに合わせて踊ったりと、何らかの行動を起こすことを望んでいるのだ。

物議を醸した作家のサム・グリーンリーは、革命を主導した黒人の政府職員を描いた自著『反逆のブルース』（一九六九／邦訳一九七一、角川書店）にまつわる唯一の後悔は、自分自身が革命を主導しなかったことだ、と語っている。しかし、グリーンリーのようなアーティストは一般的ではない。アーティストや小説家のほとんどは、観衆に対して何らかの意図を持ってはいるものの、アイディアやパフォーマンスは急速に変化するため、常に流動的な状態にある。『スタートレック』の制作陣は、SFシリーズに黒人女性を起用することで、人種力学の様相が変わることは予想していたが、初の黒人女性宇宙飛行士の誕生に繋がるとは思っていなかった。ヘンリー・デュマスも、不平等を終わらせたいと願ってはいたが、自分の短編小説がアフロシュルレアリスムというジャンルを生み出すことになるとは思ってもいなかったはずだ。観客が現実の社会変革のために自分の作品を使いたがっていると知ったら、アーティストはどうするだろうか？

「芸術を現実世界の計画に使う人には、心から驚かされました」とN・K・ジェミシンは語る。「誰かが私の作品を現実世界に応用しようとしている。それを知ることが役に立つこともあれば、抑圧として働くこともある。大きな恐怖を感じることもあれば、より意識が高まることもある」。ジェミシンは、活動家を「自らの命を危険に晒している人びと」だと考えている。自分の作品が彼らの活動に貢献できることを知り、身に余るほどの大きな責任を感じているという。

社会変革と想像力を喚起するためのプラットフォームとして、アフロフューチャリズムと、同ジャンルの文学や理論を参照する活動家は多い。エイドリアン・マリー・ブラウン、コリーン・コールマン、ラシーダ・フィリップスは、異なる都市に住む女性たちだが、三人とも同じ信念を抱いている。未来についての物語を通じて想像力を掻き立てることで、思想家は現状を打破することができる、と信じているのだ。

想像力の再燃

二〇一一年、私は「シンク・ギャラクティコン」というカンファレンスに参加した。通常のSFカンファレンスとは異なり、「シンク・ギャラクティコン」の主催者は、より広い社会変革を目指して、SFをプラットフォームとして活用したいと考えていた。シカゴのルーズヴェルト大学で開催されたこのカンファレンスには、活動家、SF作家、ファンが集い、社会変革や特権について新たな視点を共有した。パネル・ディスカッションでは、ファンタジー小説における階級差別（なぜ貧民たちは、権力を求めて王子と争わないのか？）、成長著しいブラック・インディ・コミック・シーン、革命のための個人成長ツールなどが討論された。

パネリストも参加者も、熱意に溢れていた。さまざまな文化を持つ者たちが集まったこのカンファレンスでは、急進的な活動家やSFファンが、活動家として名高いエイドリアン・マリー・ブラウンの企画によるワークショップやチャットに嬉々として参加していた。

「世界を変えるって素晴らしいことですが、肉体的にも精神的にも骨の折れる仕事ですし、往々にしてリアルタイムでは変化を実感できません」とブラウンは語る。「活動家としての私は、SFの世界にどっぷりと浸かることで、日々を乗り切っています」。彼女はまた、交流している青少年にインスピレーショナルな視点を与えるためにもSFを使っている。「あなたの人生はSFです」と彼女は彼らに伝えてきた。「あなたはSFです。ルーク・スカイウォーカーだけど、もっとクール。あなたはトランスでブラックで、デトロイトという世界を生き抜いているのです」

ブラウンは、大学時代に活動家しての道を進み始めた。彼女は環境活動とゲリラ・コミュニケーションを専門とする非営利団体、ラカス・ソサエティの元エグゼクティヴ・ディレクターで、「怒れる投票者同盟」にも深く関わっている。デトロイト在住の彼女は、「組織のヒーラー、快楽を求める活動家、アーティスト」を自称し、行動とコミュニティ変革のためのモデルを学び、開発することに「夢中」である。

彼女はまた、SFファンでもある。オクテイヴィア・E・バトラーの作品との出会いをきっかけに、彼女は自分ならではの作品を作ろうと心に決めた。ブラウンは、文明壊滅後の冒険を描いたバトラーの重要作『寓話』シリーズとその物語を、困窮したコミュニティで「変革を担うテンプレート」として使っている。「シンク・ギャラクティコン」で彼女が主催したワークショップのタイトルは、「オクテイヴィア・E・バトラーと新興の戦略」。ワークショップは、こう説明されていた。「あなたが触れるものはすべて、あなたが変える。あなたが変えるものは、あなたを変える。永久に変わらない唯一の真実は、変化である。神とは変化である」。オクテイヴィア・E・バトラーのこの言葉は、個人的なレベルで人びとに重大な影響を与えてきたが、彼女の知恵をどのような形でアクティヴィズムに活かすことができるだろうか？　変化していく状況から生まれる力を受け入れ、それを愛するようになった時、私たちが実行すべき戦略的な計画とは？　このワークショップは、人気のある組織開発のトレーニングが五〇パーセント、組織開発と戦略的計画の未来についての考察が五〇パーセントで構成されていた。

ブラウンが考えるに、都市部でなおざりにされたコミュニティの多くは、文明崩壊後の世界と同じ性質を持っている。こうした場所にはコミュニティから変革が生まれる準備が整っている。「アメリカの都市部を見てみると、終末的な状況にある市やコミュニティがあります」と語るブラウンは、ニューヨークの一部地域、ハリケーン・カトリーナ後のニューオーリンズ、シンシナティ、そして彼女の新たな地元となったデトロイトを例に挙げている。「デトロイトはかつて工業の盛んな街で、大きな工業都市として栄えていました。ここで生計を立てることができたし、黒人であれば、おそらく他の場所よりも良い生活を送ることができたでしょう。しかし、現在の人口は七〇万人。大きな変化です〔一九七〇年代、デトロイトの人口は約一五〇万人だった〕」

ブラウンは初めてデトロイトを訪れた時、文明崩壊後の世界のような街だという印象を持ったという。寂れた街だと思ったそうだ。しかし彼女は徐々に、そこにある助け合いや思いやりに気づいていく。「これで〔荒廃したコミュニティを持つ〕他の都市を見る目が変わりました。世界の終わりを連想させるような場所にも住民がいる。それは世界の終わりではなく、何か他のことの始まりなのです。人との繋がりに基づく経済。人に金銭的価値はつけられません」

事実、ブラウンは現在、バトラーの本から学んだ戦略を使って、資源の乏しい地域でコミュニティを構築する方法を活動家たちに伝授している。前述の「シンク・ギャラクティコン」カンファレンスでは、その戦略をワークショップで発表した。戦略として挙げられたのは、コミュニティでの農業、隣人との関係構築、生き残るために肝要なスキルなどだ。

問題を抱えた地域の人びとは、食料調達について自己決定権を持つ必要がある、とブラウンは強調する。『寓話』シリーズのなかで、バトラーはエイコーン・コミュニティを描いています――人びとが共に生活を築くため、意図的に集まったコミュニティです。彼らは農業を営み、お互いに説明責任を負っています。これはスピリチュアルなコミュニティです。資源が不安定な未来を生き延びるために提示された、ひとつの戦略だと思います」

彼女は付け加える。「もうひとつの戦略は、批判的でない関係を一人ひとりと築くことです。エイコーン・コミュニティが壊された後、主人公は意気消沈する代わりに、家を一軒ずつ訪れて、信者のコミュニティを作り始めます。彼らはひとつの場所に根ざしている人びとではなく、同じイデオロギーに根ざした人びとです。これは、サパティスタ〔メキシコで活動するゲリラ組織。武力を用いず、インターネットを活用することで知られる〕のイデオロギーによく似ています。彼らは一〇年をかけて、ひとつずつ関係を築いていきました。今ではインターネットやツイッターを通じて、活動がまとめられることが多いですが、それができなければ、私たちはどうするでしょうか？　近くにいる人たちと協力するでしょう」。彼女はまた、ガーデニング、病人や怪我人の基本的な治療法、助産師の代行など、文明崩壊後の世界を生き延びるために必要なスキルを教えることを強く推奨している。「家やトイレを建てることにも注目しています。トイレがないところに、どうやってトイレを作ればいいでしょうか？」と彼女は問いかける。

現実と終末論との比較に異議を唱える人もいるかもしれない。しかしブラウンは、解決策を生み出すことが主旨なのだと語る。「自分たちのコミュニティで起こることについて、他の誰かに責任を取らせようとしてばかりではいけません。オクテイヴィアのことが好きなのは、彼女の作品のなかには、システムの外で働いている人がたくさん登場するからです。『誰かがやってくれるのを待つのではなく、自ら解決策を提示しなさい』と彼女は言っています。終末的な状況というのは、誰かが助け出してくれるものではありません。自分で脱しなければならないのです」

しかしブラウンは、活動家の同胞によるSF作品もまた、活動家や支援者の志気を維持するきわめて有効な方法であることに気づいた。「活動家が問題に取り組んでも、自分の生きているあいだに結果は出ないものです」とブラウン。やりがいのある仕事だが、終わりがないと感じることもあるため、SFを通じた未来の探求は、大きなサポートと癒しのツールになりえるという。実際に彼女は、活動家からSF作品を募り、作品集を作ろうとしているところだ。「私たちの未来について、どんなことを自分たちに語りかけられるかを思い描いてほしい。そのなかでも一番大きな物語となるのは?」と、ブラウンは仲間たちに問いかける。「ユートピアでもディストピアでも構いませんが、今日、実際に世界を変えようと努力している人たちの視点を取り入れたかったのです。彼らはこれから何が起こると考えているのか? 彼らの考える最高のシナリオとは? どうしたら、明日の物語を創造するのは自分たちだと、みんなに気づかせることができるのでしょうか?」

世界を想像する

コリーン・コールマンは、問題を抱える都市部の学校で美術を教えていたある年、前夜に放映されたテレビ映画について話し合いたいと思い立った。郊外に住む少数の人びとだけが生き残る世界の終末を描いた映画が、サヴァイヴァルと精神力についての興味深い議論を引き起こすと考えたのだ。しかし驚いたことに、世界が破滅したら自分たちは死ぬだろう、と生徒たちは結論づけた。「子どもたちは学校に来て、『どうせ僕たちは死ぬんだ。ただ終わるだけなんだ』って言っていたのを覚えています。ある種の無気力さがありました。自分たちにはどうすることもできないと、彼らは感じていたのです」

彼女が思うに、これは二〇〇一年九月一一日のアメリカ同時多発テロ事件以降に高まった感情だ。また、多くのコミュニティでのドラッグ蔓延と、ＰＴＳＤと闘う帰還兵とその家族が加わり、この心情はさらに複雑化している。そんななかで、先ごろシカゴ美術館附属美術大学を卒業したコールマンは、アフロフューチャリズムに関する論文を書いた。彼女はアフロフューチャリズムが想像力を刺激し、多くの子どもたちに自信を与えることができると考えている。希望を持ち、より多くを求める自信だ。

「アフロフューチャリズムは、遊ぶ自由を与えてくれます」とコールマン。彼女は、ブルックリンにある現代アフリカ・ディアスポラ美術館（MoCADA）で、小学生や高校生と一緒にアフロフューチャリズムを使って芸術作品を制作したティーチング・アーティストの一人だ。コールマンは、長年教えてきた生徒の多くが想像力を使っていなかったことに気づいた。「創造性が育たないのは、テストのための勉強と関係があります。教師は、子どもたちに想像力を使わせてやる時間がないのです」

コールマンがティーチング・アーティストを務める現代アフリカ・ディアスポラ美術館は、革新的なワークショップや展示で知られている。同美術館は一二年間にわたり、アーティスト・イン・スクール・プログラム（近隣の公立学校と提携して行う二〇週から三〇週間のアート・パートナーシップ）の集大成となる展覧会を開催してきた。年間で七校と提携している。「私たちの生徒たちが通う学校のほとんどは、アート・プログラムを持っていません」と、同美術館で教育担当ディレクターを務めるルビー・アマンゼは語る。展示のテーマは年ごとに変わるが、二〇一二年は美術館と生徒にとっても新しい「アフロフューチャリズム」がテーマとなった。

未来を思い描き、集団でアート・プロジェクトを作る。これが子どもたちに託されたタスクだ。あるグループは、未来への通路を象徴する大きな扉を作った。またあるグループは、写真を使って、未来にどう記録されたいかを表現した。未来のブラック・ミュージックのサウンドを再現したグループもあった。作品の魅力もさることながら、見事だったのは作品ができるまでのプロセスだ。「これはヴィジュアル・アートのプログラムですが、八〇パーセントは歴史に焦点を当てています」とアマンゼは語る。「ある学校の教師は、女子生徒が男性を一切入れずに歴史を語ったらどう思うか、男子生徒に尋ねました。それを考えるだけで、男子生徒たちは憤慨していました」。しかし、この議論をきっかけに、子どもたちの多くが、未来のことや、自分たちと未来の繋がり、さらには過去の影響について、真剣に考えるようになった。

「私はアフロフューチャリズムを使って、生徒たちに未来を語ってもらいます」とコールマンは言う。「[多くの子どもたちが]なかなか未来を想像できません。まるで時間が止まっている土地に住んでいるかのように、未来がぼやけているのです」。それでも、彼女は生徒たちの心を刺激する。「なぜ企業は宇宙ステーションを建設しているのか、その理由を彼らに尋ねます。銀河を観光旅行する人びとについての考えや、そんな旅行ができるのはどんな人びとかなども尋ねます。水不足についても話します。世界には対処しなければならない切迫した問題があることを、彼らは理解していると思います。こうした会話をきっかけに、個人としてできることや、集団として新しい社会を作る方法について、彼らが考え始めてくれればいいと思っています。多くの可能性が開けてくるのではないでしょうか」とコールマンは語っている。

再覚醒と監獄

ラシーダ・フィリップスは、二〇一一年に「アフロフューチャリスト・アフェア」を立ち上げた。黒人SF協会のメンバーに名を連ねる彼女は、フィラデルフィアのアーティストが集まって作品を共有できるコミュニティを作りたいと思っていた。作家や詩人向けのオープンマイク・イヴェントとして始まったものの、すぐに共通の関心事を持つ人びとが集う、より大きなコミュニティへと発展していった。フィリップスは、チャリティ・イヴェントや仮面舞踏会のほか、女性パフォーマンス・アーティストによるアフロフューチャリズムの講義などを開催した。

私が話を聞いた時、彼女は社会復帰プログラムに参加していた出所直後の受刑者向けワークショップを終えたばかりだった。

「素晴らしかった」と彼女は言う。「私の使命のひとつは、アフロフューチャリズムが何であるかを、知識層を超えたところまで広めることです。私は知識層の言葉を知る機会のない人びとにも、アフロフューチャリズムを紹介したかった」。フィリップスは、アフロフューチャリスト・アフェアで少額助成金を獲得し、授賞式のディナーでプレゼンテーションを行うと、社会復帰プログラムでワークショップをしてほしいとリクエストを受けた。社会復帰プログラムの参加者は、二〇代半ばから五〇代後半で、男性が大多数を占め、女性は数人のみ。ほとんどが黒人だった。「私はまず、SFをテーマにした本やテレビ番組でお気に入りは何かを尋ね、ワークショップを始めました」とフィリップ。「自分の未来をどう思い描いているか、今から一〇〇年後には何が起こるかについて、一言で語ってもらいました」。それから彼女は、SFのなかの人種差別を語ると、メディアで自分たちのイメージが反映されていない彼らの心情について話し合った。「彼らは真剣でした」と彼女は語る。「私は彼らから多くを教えられました。核となる概念の説明も、彼らはしっかりと理解していました」

フィリップスは次に、サイクルを断ち切ることや、過去と現在を見直し、人生のなかで機能していないパターンを見つけることについて話した。フィリップスはタイムマシンのメタファーを使い、自分の人生で何を変えたいかを尋ねた。「彼らはこの点にとても共感していました」と彼女は言う。「過去について語りながら、どのようにパターンやサイクルを変えて、未来を築いていくかの議論を心から楽しんでいました」

12

未来の世界

Future World

本書執筆のためのリサーチ中、家族ぐるみの付き合いをしているアート・コレクターのマーリー夫婦（リンダとレナード）から提案を受けた。マッカーサー財団から天才助成金を授与されたケリー・ジェームズ・マーシャルが、アフリカ芸術祭のために制作したポスターが参考になるかもしれない。この芸術祭はシカゴのワシントン・パークで毎年開催される大きな祭典で、アフリカ・インターナショナル・ハウスが主催している。毎年この芸術祭に関わっているマーリー夫妻は、私がアフロフューチャリズムの研究をしていると知り、マーシャルが芸術祭に委託されて制作したポスターが、私の研究テーマに合致していると考えたのだ。ポスターには何が描かれているのかと私が質問すると、彼らは説明に苦労しながらも、「『宇宙家族ジェットソン』の黒人版」と端的に答えてくれた。

私はポスターを見ようと、急いで夫妻の家を訪れた。控えめに言っても、素晴らしい作品だった。宇宙ステーションに住む、愛に溢れた四人家族が描かれていた。アフリカの美術作品が飾られたリヴィングルームの窓からは、天の川の絶景が一望できる。幼い子どもたち（男児と女児が一人ずつ）はソファに座り、コーヒーテーブルの上に置かれたホログラムを使って、地球の勉強をしている。両親はともにアフリカ的な服装をしており、長いドレッドヘアの父親は、大きなヘッドスカーフを巻いた母親におどけた様子で腕を回している。アート・コレクターでもあるこの一家は、この快適な宇宙ステーションをドゴン族の仮面や空をモチーフにしたヨルバ族の芸術作品で飾り、さまざまな植物を並べている。この斬新な家族の描写は、他に類を見ないものだった。マーシャルはこの作品に「Keeping the Culture（文化を守って）」という題をつけている。

このポスターについて学んだ後、私はアフリカ・インターナショナル・ハウスのパトリック・セインビー・ウッドトー会長とアート・ディーラーのジョン・A・マーティンに招かれ、アート・コレクターのグループを前に、アフロフューチャリズムについて語り、「Keeping the Culture」がいかにアフロフューチャリズムの美学に合致するかについて議論した。

私のプレゼンテーションが終わると、参加者（アフロフューチャリズムという言葉を知らない人がほとんどだった）は、この作品のなかのフューチャリズムと文化に魅了された。驚いたことに、彼らは個人的な経験も語り始めた。市場で発売されるはるか前に目撃した未来的なテクノロジーの実話や、家族で語られてきたタイムトラヴェルの話に加えて、宇宙旅行や発明したい重要なテクノロジーに関する独自のアイディアも語られた。空中に浮かんでいる地球のイメージは、実はホログラムかタイムトラヴェルのポータルなのかもしれないと議論する人びともいた。上品なコレクターの面々は、テクノロジーや想像力とアフロシュールな文化的つながりを持つことで、心をひとつにした。「Keeping the Culture」がきっかけとなり、アフロフューチャリズムを定義されたことでもたらされた気づきである。

マーシャルは当代屈指の芸術家だ。彼の作品はスミソニアンをはじめ、世界の一流コレクションや美術館に収蔵されている。マーシャルはある時点で、黒人を描いた質の高い作品をできるだけ多く制作し、世界の隅々にまで展示することを目標にしていたという。世界的に作品が紹介されるようになり、彼は成功した。まさにこの目標を達成したのだ。しかしマーシャルは、「Keeping the Culture」で未来に関する従来の考えに挑戦した。「古代の歴史を黒人とディアスポラの人びとに結びつけながら、未来に向かって進化する人びとが過去を受け継ぐこともできると考えたら、面白くなると思ったのです」と彼は言う。マーシャルは天空と神秘主義に縁の深いアフリカの伝統芸術を、ホログラムや宇宙ステーションと意図的に組み合わせ、アフリカの起源という考えと文化・家族の価値を、宇宙と調和した未来に移す橋渡しをした。「黒人が未来に自分を投影しているイメージは、滅多に見られないことに気づきました。あったとしても、ほとんどが世界終末後の未来で、イメージのなかの人物はとても孤立しています」

マーシャルは、未来を考えることの重要性を信じている。「自分たちが未来にいることをきちんと思い描いているか？　ということなのです。自分たちが未来にいることを思い描いているならば、それはどんな姿でしょうか？」と彼は尋ねる。「私たちは、未来を担う者になれるでしょうか？　それとも、新世界に連れてこられた黒人が商品となったように、未来に存在するモノになるのでしょうか？」彼は想像力の戦略的な活用を推奨している。また、世界を形成し、格差を解消するためには、どうすれば集団として技術的な優位に立つことができるかを考えるよう、アフロフューチャリストに促している。私たちは「先頭に立って、未来を形成する物質的な現実を作らなければなりません」

と彼は言う。未来に影響を与えるのは、注目の的となる次世代の携帯電話を作る人びとではなく、まずはその電話を使うかどうかを決める人びとなのです」と彼は言い添える。

アフロフューチャリズムは、個人的な変革と社会的な成長のために、想像力を使うことのできる素晴らしいツールである。自分自身や自分のアイディアを未来のなかに見出す力を人びとに与えることで、革新者や自由な発想の持ち主を生み出す。そして彼らは、過去の知恵を利用しながら、可能性という海を航行し、コミュニティ、文化、そして偏りのない新しい世界を作り出す。想像力は進化の鍵である。そしてまた、慣習や社会の常識という名の下に、抑え込まれてばかりいるのも想像力である。

アフロフューチャリズムは、アフリカを起源に広がった黒人文化の美しさを奨励し、有色人種に未来の顔を与える。しかし、世界的な視点に立って見ると、アフロフューチャリズムの観点は、世界の知識や思想に貢献し、過去と未来から抹消されがちなグループの観点を含んでいる。アフロフューチャリストは、他者性(アザーネス)に正面から向き合うこともあるが、頭のなかで躍る物語に命を与えるだけの者もいる。だが、未来、テクノロジー、想像力には、文化が伝えられる無限の可能性があることを全員が認識している。

しかし、過去に苦痛を与え、現在も続いている不平等を未来に持ち越すことはできない。アフロフューチャリズムは、この不平等の問題を芸術と議論を通じて検討するためのプリズムを提供するが、このプリズムはディアスポラだけのものではない。アフロフューチャリズムという美学や原理を採用するか否かにかかわらず、あらゆる人びとがアフロフューチャリズムからインスピレーションを受け、自身の世界を変えて自分の限界から脱却するために、アフロフューチャリズムを活用することができるのだ。ドゴン族の神話や、サミュエル・R・ディレイニーの小説は、世界中の人びとの生活を豊かにできるし、現に豊かにしている。DJスプーキーの音楽的アプローチや、「ブラック・カービー」の美術展が与える認知的不協和は、多くの人びととの狭い世界観を塗り替えるために必要なものだ。優れたアイディアは、時空と文化を超える。『Vフォー・ヴェンデッタ』の言葉を借りれば、理念に銃は効かないのだ。

アフリカ系アメリカ人の女子小学生たちにヨガを教えていた時、私はなぜか火星探査機の話を持ち出した。私は宇宙旅行の話をすると、宇宙に行く気のある人がいるか尋ねた。全員の手が一斉に挙がった。ある少女は、チケットを買えるよう、今から母親に頼んで貯金を始めると言った。現在、チケットの価格は約九万ドルである。しかし、そう遠くない将来に価格は下がり、宇宙旅行は一般的になるだろう。未来になれば、宇宙旅行のない時代に生きていたという事実は、恐竜がいた時代を生きていたかのように聞こえることだろう。もしかしたら、この少女は宇宙旅行に触発されて、最新の空飛ぶ車を作るかもしれない。あるいは、火星旅行の計画を立てながら、自分の未来、恒星間旅行、この赤い惑星の隣人にもたらす生命力についての物語を書くかもしれない。世界の状況を改善したいという思いを胸に抱き、持続可能性と平等のヴィジョンを共有する大きなグループに参加するかもしれない。まずは想像力を働かせ、アイディアを実行していくことで、彼女は未来を生きるだろう。未来は私たちのものである。そう、未来は今なのだ。

訳者あとがき

二〇一八年二月、メリーランド州のブラック・ネイバーフッドにあるマジック・ジョンソン・シアターは、『ブラックパンサー』を観に来た人々でごった返し、興奮のるつぼと化していた。満員の場内に目を向けてみると、その顔ぶれはまさに老若男女。オープニング・シーンから歓声があがり、最後には総立ちの拍手が巻き起こった。マーベル・ヒーローの活躍を無邪気に楽しむ子どもたちはもちろん微笑ましかったが、なにより印象的だったのは、黒人キャストが大半を占める黒人スーパーヒーローのハリウッド大作を感慨深げに観ていた年配の観客の表情だ。誇りに満ちた顔って、なんて晴れ晴れとしているんだろう。ブラック・コミュニティの一大イヴェントに、傍観者として参加できた幸運を私は喜んだ。

本書の著者であるイターシャ・ウォマックは、『ブラックパンサー』の公開がアフロフューチャリズムにとっての転機となった、と語っている。

「まるで宇宙に飛び出していくロケットのようだった。あの映画の成功のおかげで、アフロフューチャリズムに関わってきた私たちのステージが上がり、テレビのプロデューサーや出版社との会話がスムーズになった。それまでは、アフロフューチャリズムと言っても、みんな何のことかわからなかったし、そんなジャンルは売れないなんて言われていたんだけど、『ブラックパンサー』を例に挙げれば、それだけで話が通じるようになった」

電話口から聞こえるイターシャの声は、フレンドリーで明るい。共通の友人（マイケル・ゴンザレス）曰く、「彼女は講演で世界を飛び回っている」からか、相手の人種や国籍を問わず、肩肘張らずに喋ることに慣れているのかもしれない。

シカゴで生まれ育ったイターシャは、歴史オタクな両親から黒人の歴史と文化を学んだという。「アメリカでも世界のどこででも、黒人として快適に過ごし、あらゆる人を尊重し、人権を大切にしてほしい」というのが両親の願いだったこと、NASA勤務の叔父と叔母がいたこと、なぜか母親が（誰にも頼まれていないのに）子供用の宇宙服をクローゼットに持っていたこと、テキサス出身の父親のファッション（カウボーイハットとブーツを愛用）が、シカゴではある意味コスプレのようだったこと。イターシャが将来アフロフューチャリストになる素地は、図らずも整っていたようだ。

名門黒人大学として知られるクラーク・アトランタ大学を卒業すると、由緒ある黒人紙として知られる「シカゴ・ディフェンダー」紙の記者としてジャーナリストのキャリアをスタート。その後はノンフィクションだけでなく、フィクションや脚本の執筆、映像作品の監督など幅広いジャンルで才能を発揮するうちに、自身の活動を結ぶ糸が「アフロフューチャリズム」であることに気づいたという。「アフロフューチャリズムでは、世界は破滅に向かうのではなく、すでに破滅した世界を再建していく。だから、そこには希望がある。コミュニティを大切にする点や、人間の精神のしなやかな強さにもインスピレーションを感じられるはず」と語るイターシャは、アフロフューチャリズムという言葉を愛しているという。「アフロフューチャリズムが私の物の見方を形成していると思うし、私が黒人のアイデンティティについて考える際の大きな核となっている」

今年一一月には、『ブラックパンサー／ワカンダ・フォーエヴァー』が公開され、来年にはワシントンDCの文化的ランドマーク、国立アフリカ系アメリカ人歴史文化博物館でアフロフューチャリズムの展示も開催される。イターシャとアフロフューチャリズムの快進撃はまだまだ続きそうだ。

最後に謝辞を。フィルムアート社の沼倉康介さん。超クールなプロジェクト、ご一緒できて楽しかったです。大和田俊之さん、素晴らしい解説をありがとうございました。そして、宇宙人系な夫のジャーメイン。脳みそを鍛えてくれてありがとう。

二〇二二年七月

押野素子

解説

アフロフューチャリズムと、そのアフロ・アジア的な可能性について

大和田俊之

本書で説明されるように、アフロフューチャリズムという用語を考案したのは批評家のマーク・デリーである。一九九四年、デューク大学出版局が刊行する「サウス・アトランティック・クォータリー」誌の特集に「ブラック・トゥ・ザ・フューチャー」という文章を寄稿したデリーは、そこでアフリカ系アメリカ人の歴史とサイエンス・フィクションというジャンルの近接性――たとえば、大西洋の奴隷貿易と「エイリアンのよる拉致」という主題――について問いを投げかけ、SF作家サミュエル・R・ディレイニー、ライターのグレッグ・テイト、そしてヒップホップ研究で知られるトリシア・ローズの三人のアフリカ系アメリカ人にインタビューを試みている。

本書の冒頭で著者が簡潔に定義づけるように、アフロフューチャリズムとは「想像力、テクノロジー、未来、解放の交差点」であり、「SF、歴史小説、思弁小説、ファンタジー、アフリカ中心主義、マジッ

クリアリズムといった要素を非西洋的な思想と結びつける」思想である。その内実については本書で丁寧に議論されているのでここで詳細に立ち入ることはしないが、ではなぜこうした概念が一九九〇年代前半に誕生したのか、主にポピュラー音楽の文脈で考察してみたい。

伝統的にブルースやソウル・ミュージックなどのアフリカ系アメリカ人の音楽は、その前近代的ともいえる特質が称揚されてきた。ブルース音楽とハイチのヴードゥー教などにみられる呪術性の関係に焦点が当てられ、ソウル・ミュージックの「グルーヴ」もその身体性、躍動性において評価されてきた。だからこそ黒人音楽はカウンターカルチャーの拠点として機能したのであり、それはますます機械化する＝容赦無く近代化に邁進する世界にあって、人間性（動物性）の最後の牙城と見做されたのだ（一九八六年に来日したジェームズ・ブラウンの前座を細野晴臣率いるF．O．E（フレンズ・オブ・アース）が務めた際、JBの人力ファンクとは異なるエレクトロニック・ミュージックに対して観客がブーイングを浴びせたことを思い出そう）。

ところが一九七〇年代にサウス・ブロンクスで誕生したヒップホップ・ミュージックは、まさに機械の／によるビートを特徴とする音楽であった。前述のマーク・デリーも、ヒップホップ研究者トリシア・ローズにまずこの点を問いただしている――「ファンキーであり、かつ機械的でもあることは可能なのでしょうか」と。それに対してローズは「もちろん、それこそがヒップホップです！」と高らかに応じた上で、次のように続けている。

アフリカ・バンバータや彼の仲間のヒップホップアーティストたちは、クラフトワークのロボット表象を通じて、自分たち黒人自身がロボットであったことを理解したのです。「ロボット」であることを受け入れるということは、それ自体が既存の社会への反応だといえます。すなわち、黒人自身が資本主義にとって労働力であり、彼らが社会のなかで人間としてほとんど価値を持たなかったということです。そしてロボットの立場に立つことで、「ロボットという概念と戯れる」ことが可能になります。それはまるでエイリアン／よそ者であることを示す鎧を着させられているようなもの。もし、その鎧を象徴的な意味でもつねに着ていなければならないのであれば、その鎧の使い方をマスターすることによって、その意味づけへの抵抗として使えるかもしれないのです。」

つまり本書でアーティスト／映像作家コーリーン・スミスの言葉として適切に引用されるように、「ブラックネス（黒人性）」こそが「テクノロジー」であり、それは人為的な構築物であるという思考がここに誕生する。そうであるならば、そこからの「解放」も「想像力とテクノロジー」を所与とするほかないのであって、こうしたアフロフューチャリズムの思想がヒップホップという新しい黒人音楽の台頭（そして、ギャングスタラップの隆盛と共に全米に広がる一九九〇年代前半）によって可能になったことは強調すべきだろう。

だがそれと同時に重要なのは、こうした思考がアフリカ系アメリカ人の音楽家や作家などによって、すでに常に存在していた点である。アヴァンギャルド・ジャズのサン・ラー、宇宙を舞台に壮大なPファンク神話を作り出したパーラメント／ファンカデリック、さらにSF作家オクテイヴィア・E・バトラーなどが再評価され、その歴史が再編成されたことでアフロフューチャリズムの思想的系譜がはっきりと炙り出されたのだ。本書の魅力のひとつは、一九九〇年代後半のインターネット空間を舞台に、こうした思想が広がる様子をコドゥオ・エシュン、アロンドラ・ネルソン、そしてアレクサンダー・ワヘリイエなどのキーパーソンの活動と自らの「ブラック・ギーク」としての経歴と重ねながら著者が叙述する点である。

アフロフューチャリズムの大きな特徴として、宇宙的想像力と古代エジプトやヌビア人のイメージが並置される点があげられる。著者が解説するように、アース・ウィンド＆ファイアーやリー・"スクラッチ"・ペリーなどの衣装やコンセプトにはドゴン族の神話やヨルバ族のオリシャなどが多分に参照されている。本書の「タイムトラヴェラーのための時計」と題された章ではアフロフューチャリズムとタイムトラヴェルの主題が展開されるが、それはこのように「過去を塗り替える」、すなわち時間軸を攪乱させながら未来を描き出す手法がアフロフューチャリズム特有の思考であるからだ。

また著者は「現代のマーメイド／マーマンをめぐるアフリカ的宇宙」の章で古代アフリカ文明の宇宙表象や科学性を論じるが、このように古代と未来が直結するイメージは、ここで捨象されるその間の時期にアフリカン・ディアスポラが非人間的な扱いを受けていたことを逆説的に暗示する。先述したローズの引用に明らかなように、黒人は資本主義にとって労働力であり、長い間、「人間」としての価値を与えられてこなかった。本書にも登場するアレクサンダー・ワヘリイェは、現代の黒人ポピュラー音楽における「ポストヒューマン」の様相を分析する論文において、一八世紀ヨーロッパで成立した「人間」という概念がアフリカ系アメリカ人を排除することで成立した点を確認するが、[2]本書の前半に「ポストヒューマン」に関する議論が提示されるのは非常に示唆的である。それはダナ・ハラウェイなどによって基礎づけられ、現在ロージ・ブライドッティを中心に批評理論の領域で勢力的に展開される「ポストヒューマン」の諸問題とも結びつく。[3]また、「宇宙のなかの聖なる女性」という章でアフロフューチャリズムとフェミニズムの問題が一章を割いて論じられるのも、その「人間」という近代的概念に女性が含まれていなかったことを考慮すれば、非常に理に適った議論だといえるだろう。つまり、アフロフューチャリズムには「人間」という概念を相対化する企てが込められており、その思想的可能性においてアフリカ系アメリカ人の歴史を超えた一般性を獲得する契機が含まれている。

このようなアフロフューチャリズムの思想に対して、私たち日本人（アジア人）はどのようにコミットできるだろうか。そのヒントは、アフロフューチャリズムとほぼ同じ時代に編み出された「テクノオリエンタリズム」という概念に見出すことができる。

社会学者デヴィッド・モーリーとケヴィン・ロビンスが一九九五年の著書『アイデンティティの空間

（Spaces of Identity）』において紹介した用語は、バブル経済の興隆とともにテクノロジーの国として日本のイメージが世界に広がるなか、日本人は「感情を持たない異星人であり、サイボーグやレプリカントである」という新たなステレオタイプが定着したプロセスを検証する。もともと日本人は感情を表現することが苦手であると思われており、その「非人間性」が『ＡＫＩＲＡ』（一九八八）や『攻殻機動隊』（一九九五）などの日本のアニメと重ねられた結果ともいえるが、それはモーリーとロビンスが主張するように、きわめて「人種差別的」なイメージだといえるだろう。ここで重要なのは、テクノロジーの進展と共に感情を失った「サイボーグ」と、資本主義化の労働力＝奴隷を指し示す「ロボット」は、いずれも西欧中心の「人間」から締め出され、排除された存在であり、まさにその疎外（alienation）こそがアフリカ系と日本人（アジア系）を結びつける点である。

著者がアフロフューチャリズムの創始者として栄誉を授けるサン・ラーの逸話のひとつとして、本書では彼のバンドに所属したケラン・フィル・コーランにスポットが当てられる。コーランは電子カリンバ「フランキーフォン」——別名「スペース・ハープ」——を発明したことで知られるが、ここからさらにアフリカ系と日本人の結びつきを掘り起こせば、サン・ラーの一九六二年のアルバム、『The Futuristic Sound of Sun Ra』において、アーケストラの中心メンバーのひとり、マーシャル・アレンが日本の尺八にB♭クラリネットのマウスピースを装着したモロウ（morrow）と呼ばれる楽器を演奏していたことを思い出してもいいだろう。サン・ラーの「未来的なサウンド」（futuristic sound）にはもともと日本の楽器の響きが備わっていたのであり、その音楽にアフロ・アジア的な未来表象を見てとることは十分に可能である。

また、本書で何度か論じられるジャネール・モネイはアトランタ出身のヒップホップデュオ、アウトキャストのビッグ・ボーイによって発掘されたが、彼がヒップホップミュージシャンとしては早い段階で日本の音声合成用のキャラクター、初音ミクをサンプリングしたことを忘れてはならない。日本人作曲家Aura Qualic.のによる初音ミクの曲〈DATA 2.0〉（二〇一四）をトラックに挿入した〈Kill Jill〉（二〇一七）には、人種をテクノロジーによる構築物として捉え、テクノロジーとの親和性の高さを特徴とするアフロ・アジア的な美意識を見出すことができる。サン・ラーやビッグ・ボーイのこうした感性を通して、私たちはアフロフューチャリズムのアジア的可能性を夢想できるのであり、それは西欧中心的な概念をアップデートした、よりインクルーシヴな「人間」概念の創出につながるだろう。

二〇一〇年代以降、ブラック・ライヴズ・マター運動の高まりに呼応するかのようにアフロフューチャリズムを主題とした作品は続々とリリースされている。架空のアフリカ国家ワカンダとその世界的繁栄を巡る抗争を、制作スタッフと俳優陣の大半をアフリカ系アメリカ人で描いた映画『ブラックパンサー』（二〇一八）、アラン・ムーア原作の傑作グラフィックノベルを大胆に翻案し、一九二一年にオクラホマ州タルサで起きた人種虐殺と現代のアフリカ系に対する暴力と接続したドラマシリーズ『ウォッチメン』（二〇一九）、人種隔離がいまだに続く一九五〇年代のアメリカを舞台に、主人公が人種差別やSF小説から飛び出てきたかのような怪物と戦う『ラヴクラフトカントリー』（二〇二〇）、一九世紀アメリカ南部を舞台に、逃亡奴隷を支援するために実際に地下に鉄道が走っていたという架空の設定を用いるドラマシリーズ『地下鉄道』（コルソン・ホワイトヘッド原作、バリー・ジェンキンズ監督、二〇二一）など、黒人の歴史とSF的想像力を駆使した作品は枚挙にいとまがない。本稿を執筆中、『ブラックパンサー／ワカンダ・フォーエヴァー』のトレーラーがリリースされたことも大きな話題になった。日本でもオクテイヴィア・E・バトラーの小説『キンドレッド』（風呂本惇子、岡地尚弘訳）が文庫化されたのに続いて『血を分けた子ども』（藤井光訳、河出書房新社）の翻訳も刊行された。

黒人の歴史を遡りながら、来るべき「人間」（post-human）の概念を創造する——アフロフューチャリズムの本格的な受容はいままさに始まろうとしている。

1 Mark Dery, "Black to the Future: Interviews with Samuel R. Delaney, Greg Tate and Tricia Rose," *The South Atlantic Quarterly* 92.4 (Fall 1993), 736.

2 Weheliye, Alexander G., 2002, "'Feenin': Posthuman Voices In Contemporary Black Popular Music," *Social Text* 20.2: 21-47.

3 ロージ・ブライドッティ『ポストヒューマン——新しい人文学に向けて』門林岳史、大貫菜穂、篠木涼、唄邦弘、福田安佐子、増田展大、松谷容作訳、フィルムアート社、二〇一九年などを参照。

アフロフューチャリズム
ブラック・カルチャーと未来の想像力

2022年 8月30日 初版発行
2022年11月20日 第2刷

著者
イターシャ・L・ウォマック

訳者
押野素子

解説
大和田俊之

ブックデザイン
加藤賢策(LABORATORIES)

日本語版編集
沼倉康介(フィルムアート社)

発行者
上原哲郎

発行所
株式会社フィルムアート社
〒150-0022
東京都渋谷区恵比寿南1-20-6 第21荒井ビル
tel 03-5725-2001 fax 03-5725-2626
http://www.filmart.co.jp/

印刷・製本
シナノ印刷株式会社

Printed in Japan
ISBN978-4-8459-2029-7 C0070

イターシャ・L・ウォマック（Ytasha L. Womack）
映像作家／フューチャリスト。『Post Black: How a New Generation is Redefining African American Identity』、『2212: Book of Rayla』の著者でもある。マルチメディアで展開する『Rayla 2212』シリーズのクリエイターであり、映画『The Engagement』を監督したほか、『Love Shorts』ではプロデューサー兼ライター、『Beats Rhymes and Life: What We Love and Hate About Hip-Hop』では共同編集者を務めた。
「エボニー」誌、「シカゴ・トリビューン」紙など多数の出版物に寄稿し、『E! True Hollywood Stories: Rappers Wives』にも出演している。

押野素子（おしの・もとこ）
翻訳家。青山学院大学国際政治経済学部卒業後、レコード会社勤務を経てハワード大ジャーナリズム学部卒業。ワシントンD.C.在住。
訳書にナナ・クワメ・アジェイ＝ブレニヤー『フライデー・ブラック』（駒草出版）、シャネル・ミラー『私の名前を知って』（河出書房新社）、ジョン・ルイス、アンドリュー・アイディン『MARCH』（岩波書店）、ジェフ・チャン『ヒップホップ・ジェネレーション』（リットーミュージック）などがある。

大和田俊之（おおわだ・としゆき）
1970年生まれ。慶應義塾大学大学院文学研究科英米文学専攻後期博士課程修了。博士（文学）。慶應義塾大学法学部教授。
『アメリカ音楽史――ミンストレル・ショウ、ブルースからヒップホップまで』（講談社選書メチエ）、『アメリカ音楽の新しい地図』（筑摩書房）、共著に『文化系のためのヒップホップ入門』1〜3（アルテスパブリッシング）などがある。

索引

人名・団体名

—

ア

カ

サ

タ

マ

ヤ

ラ

ワ

英数

映像作品

—

書籍

—

アルバム・楽曲

—

事項

—

原 注

第1章｜進化するスペースカデット

1. Ingrid LaFleur, "Visual Aesthetics of Afrofuturism," TEDx Fort Greene Salon, YouTube, Sep-tember 25, 2011.

第2章｜「ブラック」という名の人間のおとぎ話

1. Ytasha Womack, "Dorothy Roberts Debunks Myth of Race," Post Black Experience, http://postblackexperience.com/tag/dorothy-roberts/ (Accessed January 10, 2012).
2. Kodwo Eshun, More Brilliant Than the Sun: Adventures in Sonic Fiction (UK: Quartet Books, 1998), 175.
3. Mark Dery, "Black to the Future," in Flame Wars: The Discourse of Cyberculture (Durham, NC: Duke University Press, 1994), 180.
4. Saidiya Hartman, Lose Your Mother (New York: Farrar, Strauss and Giroux, 2008).
5. Sarah Zielinski, "Henrietta Lacks Immortal Cells," Smithsonian Magazine, www.smithsonianmag.com/science-nature/Henrietta-Lacks-Immortal-Cells.html (Accessed January 22, 2010).
6. Ytasha Womack, "Dorothy Roberts Debunks Myth," Post Black Experience, http://postblackexperience.com/tag/dorothy-roberts/ (Accessed October 17, 2011).
7. Reynaldo Anderson, "Critical Afrofuturism: A Case Study in Visual Rhetoric, Sequential Art, and Post-Apocalyptic Black Identity" (2012).

第3章｜プロジェクト・イマジネーション

1. Jeremy Hsu, "Former Astronaut Will Lead 100 Year Star- ship Effort," Tech News Daily, www.technewsdaily.com/5774-astronaut-lead-100-year-starship.html (Accessed May 21, 2012).
2. Center for Black Studies, "AfroGeeks: Global Blackness and the Digital Sphere," University of California Santa Barbara, www.research.ucsb.edu/cbs/projects/afrogeeks04.html (Accessed March 1, 2012).
3. Aaron Smither andJoanna Brenner, "Twitter Use 2012," Pew Internet & American Life Project, http://pewinternet.org/Reports/2012/Twitter-Use-2012/Findings.aspx (Accessed May 31, 2012).

第4章｜火星調のマザーシップ

1. Amina Khan, "New will.i.am Song Transmitted from Mars Curiosity Rover," Los Angeles Times, http://articles.latimes.com/2012/aug/28/science/la-sci-sn-will-i-am-curiosity-mars-rover-track-nasa-20120828 (Accessed August 28, 2012).
2. "Will.i.am NASA Interview at Curiosity Mars Landing 2012,"　YouTube, August 6, 2012.
3. Scott T. Hill, "With Earthbound, CopperWire Creates a Soulful Sci-Fi Space Opera," Wired, www.wired.com/underwire/2012/04/copperwire-earthbound/ (Accessed April 4, 2012).
4. The Last Angel of History, directed by John Akomfrah (Icarus Films, 1996).
5. Scot Hacker, "Can You Get to That: The Cosmology of P-Funk," Stuck Between Stations, http://stuckbetweenstations.org/2011/01/11/cosmology-of-pfunk/ (January 11, 2011).
6. Kodwo Eshun, More Brilliant Than the Sun: Adventures in Sonic Fiction (UK: Quartet Books, 1998).
7. Eshun, More Brilliant Than the Sun.
8. "The Ten Droid Commandments," HollyGoCrunkly, http://hollygo crunkly.tumblr.com/post/746007554/the-ten-droid-commandments (Accessed May 10, 2012).

第5章｜現代のマーメイド／マーマンをめぐるアフリカ的宇宙

1. Malidoma Patrice Somé, Ritual, Magic, and Inititation in the Life of an African Shaman (New York: Penguin Group, 1995), 8.
2. Somé, Ritual, Magic, and Initiation, 9.
3. Hunter Hindrew and Mamaissii Vivian, "Mami Water Healers Society," Mami Wata, www.mamiwata.com/news.html (Accessed June 5, 2012).
4. Aker, "My-stery Images of Mami Wata," Futuristically Ancient, http://futuristicallyancient.com/2012/04/18/the-my-stery-images-of-mami-wata (Accessed April 18, 2012).
5. "Last Splash: Azealia Banks Explains the Whole Mermaid Deal,"　Spin Magazine, www.spin.com/articles/last-splash-azealia-banks-explains-whole-mermaid-deal (Accessed July 12, 2012).
6. "African Cosmos," African Institute of Art, http://africa.si.edu/exhibits/cosmos/intro.html (Accessed June 1, 2012).
7. Somé, Ritual, Magic, and Initiation, 8–9.

第6章｜宇宙のなかの聖なる女性

1. "Martin Luther King Was a Trekkie: Star Trek and Equality,"　YouTube (Accessed January 23, 2011).
2. Matrix Reloaded, directed by Lana Wachowski and Andy Wachowski (Warner

Brothers, 2003).
3. Gillian Gus Andrews, "Janelle Monae Turns Rhythm and Blues into Science Fiction," I09, http://io9.com/5592174/janelle-monae-turns-rhythm-and-blues-into-science-fiction (Ac-cessed July 21, 2010).
4. "Grace Jones," Elton & Jacobsen, http://eltonjacobsen.com/2008/06/22/grace-jones (Accessed April 18, 2012).
5. Katerina Wilhelmina,"Grace Jones Quotes,"Chatterbusy Blogspot, http://chatterbusy.blogspot.com/2012/10/grace-jones-quotes.html (Accessed October 1, 2012).
6. Jennie Ruby, "Women Only Spaces: An Alternative to Patriarchy," Feminist Reprise, www.feminist-reprise.org/docs/womonlyspace.htm (Accessed April 22, 2012).
7. Tempestt Hazel, "Black to the Future Series: An Interview with D. Denenge Akpem," Sixty Inches from Center, Chicago Arts Archive, http://sixtyinchesfromcenter.org/archive/?p=16638 (Accessed July 23, 2012).

第7章｜未来を記して

1. W. E. B. Du Bois, "The Comet," in Dark Matter, edited by Sheree R. Thomas (2000): 5–18.
2. Samuel R. Delany, "Racism and Science Fiction," New York Review of Science Fiction, Issue 120, August 1998, www.nyrsf.com/racism-and-science-fiction-.html (Accessed September 1, 2012).
3. Jess Nevins, "The Black Fantastic: Highlights of Pre World War II African and African American Speculative Fiction," IO9. http://io9.com/5947122/the-black-fantastic-highlights-of-pre+world-war-ii-african-and-african+american-speculative-fiction (Accessed October 2, 2012).
4. Nevins, "The Black Fantastic."
5. "Afrofuturism, Science Fiction and the History of the Future," Socialism and Democ-racy Online, http://sdonline.org/42/Afrofuturism-science-fiction-and-the-history-of-the-future (Accessed April 20, 2012).
6. "Afrofuturism, Science Fiction," Socialism and Democracy Online.
7. Mindy Farabee, "Nalo Hopkinson's Science Fiction and Real Life Family," Los Angeles Times, March 21, 2013, http://articles.latimes.com/2013/mar/21/entertainment/la-ca-jc-nalo-hopkinson-20130324.

第8章｜絵具とピクセルで描かれたムーン・ウォーカー

1. Samantha Burton, "The Africa That I Know," Bitch, http://bitch- maga-zine.org/article/the-africa-that-i-know (Accessed April 15, 2012).
2. Alyx Vesey, "Bechdel Test Canon: Pumzi," Bitch, http://bitch maga-zine.org/post/bechdel-test-canon-pumzi-feminist-film-review (Accessed February 3, 2012).
3. Tempestt Hazel, "Black to the Future Series. An Interview with Cauleen Smith," Sixty

Inches from Center, Chicago Arts Archive, http://sixtyinchesfromcenter.org/archive/?p=17269 (Accessed September 4, 2012).
4. Lupe Fiasco, "Lupe Fiasco: This City Is a Robot," Chicago Sun- Times, www.suntimes.com/lifestyles/splash/12870919-418/lupe-fiasco-this-city-is-a-robot.html (Ac-cessed June 5, 2012).
5. "TheMysteriousPhenomenonThatTransformsAverageSongwrit- ers Into Legends," Songwriting Secrets, www.songwriting-secrets.net/songwriting-inspiration.html (Accessed June 1, 2012).

第9章｜タイムトラヴェラーのための時計

1. Fred Alan Wolf, Fred Alan Wolf, www.fredalanwolf.com (Accessed April 10, 2012).
2. Duffy Damien and John Jennings, Black Comix (New York: Mark Batty Publishing, 2010), 164.
3. Wolf, www.fredalanwolf.com (Accessed April 10, 2012).
4. Jo Walton, "Time Travel and Slavery," Tor, www.tor.com/ blogs/2009/04/octavia-butlers-kindred (Accessed June 1, 2012).